1

Yo Soy

Valentina

Un Cuento Para Mujeres Valientes

Por Cindy Villarraga

Copyright © 2022 by
Hampstead Heath Books
Visit our website at
www.hampsteadheathbooks.com

Printed in Colombia
First Hampstead Heath Books edition, November 2022.
Editor & Proofreader Belford Moré
Cover design by Hampstead Heath Books
Cover images by Matheus Bertelli at pexels.com/@bertellifotografia/

ATTENTION CORPORATIONS AND ORGANIZATIONS:

Hampstead Heath Books publications are available at quantity discounts with bulk purchase for educational, business, or sales promotional use. For information, please call or write:

Sales Department, Hampstead Heath Books

info@hampsteadheathbooks.com

"A veces la vida solo te espera, espera a que tomes una decisión"

Cindy Villarraga

Capítulo 1
Robots, corazones y... sí, pendejas

—Pareces un robot —fueron mis primeras palabras hacia él, cuando nos conocimos. Ahora, que tanta agua corrió en ese río, diría que son un poco tontas. Mateo era más formal de lo necesario para hablar con una extraña en un evento de capacitación laboral, y mucho más frío de lo apropiado para dirigirse por primera vez a la persona con la que compartiría más de diez años, aunque claro, esto no lo sabía ninguno de los dos.

Mateo ladeó la cabeza y se disculpó:

—Lo siento —dijo.

Me reí.

Ahora que lo pienso, mis primeras palabras hacia él no fueron tontas; de hecho, fueron muy acertadas, considerando todo lo que viviríamos juntos en los años venideros.

En ese momento, mi mente me trasladó al menos a quince años atrás, a una soleada tarde de mi infancia cuando mi mamá me llevó a ver una obra de teatro en el centro de Bellas Artes de San Juan. Presentaban el *Maravilloso Mago de Oz*. Uno de los personajes que más me llamaba la atención cuando era pequeña era el Hombre de Hojalata: aquel extraño sujeto plateado que relucía bajo los reflectores; ese personaje que era más formal de lo necesario para hablar con Dorothy, y un poco más frío de lo apropiado para dirigirse por primera vez a la persona con la que viajaría por toda la tierra de Oz. Ese *robot*. Quise reír en ese momento.

Ustedes, los que poseen un corazón, tienen algo que los guía y no necesitan equivocarse, pero yo no lo tengo y por eso debo cuidarme mucho. Cuando Oz me dé un corazón, entonces ya no me preocuparé tanto.

Eso era lo que decía el adolescente interpretando al personaje que me causaba tanta gracia muchos años atrás en el centro de Bellas Artes de San Juan: aquel Hombre de Hojalata pintado de plateado, que viajaba en busca del maravilloso mago para pedirle el favor de que le regalara un corazón. En cambio Dorothy, al igual que yo, solo viajaba tratando de regresar a casa, lo cual no significaría otra cosa que encontrarse a ella misma en el transcurso de sus viajes y aventuras.

¿Quién era yo en aquel entonces? No lo sabía. Durante tus veintes apenas estás rompiendo el cascarón, descubriendo, conociendo el mundo y, a diferencia de los años de tu adolescencia, ahora eres consciente de todo aquello que desconoces. Sin embargo, hay una cosa que siempre he tenido muy clara: ayudar a los demás de todas las formas que estén en mis manos. Eso fue lo que aprendí en casa, y lo que mi alma me llamaba a hacer con todos aquellos que tenía a mi alrededor. No me importaba ayudar al mundo, sino a las personas, lo cual es muy diferente y quizás más humano. Por ello mi primer instinto al conocer al Hombre de Hojalata fue el de proporcionarle el corazón que tanto estaba buscando.

¿Cuál sería el problema? Que yo era Dorothy, no el Mago; por lo que solo existía una manera de darle un corazón a alguien que anhelaba con tanta desesperación tener uno, y era darle el único corazón que estaba a mi disposición, el único que sabía a ciencia cierta cómo conseguir y qué hacer con él, así no tuviera idea de cómo funcionaba; pues eso toma años y años de vivir, experimentar, conocer, respirar, llorar, entender, sufrir, sonreír, fracasar y renacer: entregarle mi propio corazón.

Así empezamos a salir Mateo y yo, la niña curiosa y su adorable hombre de hojalata. Así comenzó la transferencia, el trasplante de corazón que me dejaría tan vacía y me conduciría al punto de mi vida que me impulsó a escribir esta novela. Lo sé, leíste el título del libro. No somos pendejas. Aun así, iniciaré esta historia contando una serie de anécdotas en las que no solo yo fui pendeja, como tantas mujeres que hemos sido pendejas en el mundo y permanecemos en el anonimato, mujeres estudiadas, exitosas profesionalmente, emprendedoras, fuertes en todos los ámbitos de nuestra vida, pero vulnerables por el hecho de ser seres humanos. También te contaré por qué vale la pena encontrarte sola en medio del vacío, y el tesoro invisible que se esconde allí.

Bienvenidos a esta historia.

Capítulo 2

De corazones y caminos

Cuando pienso en la mujer que aceptó salir a tomar un café con Mateo, la mujer que fui en ese momento, no puedo evitar llevarme la palma a la frente, y no porque hubiera aceptado salir con él. A este mundo vinimos a vivir, a aprender, a conocernos a nosotros mismos y a tener experiencias de vida. Si vas a una heladería, debes comer helado; si vas a una barbacoa, debes comer carne o, al menos mazorcas, si eres vegano; y si vas a una cafetería debes tomar café.

Ordené un *latte* y sentí mariposas en el estómago mientras el camarero escribía la orden y se marchaba dejándonos solos, sobrecogidos por un corto silencio incómodo, inesperado y lento. Los silencios incómodos… Esa parte tan fundamental del romance: los puntos suspensivos y a la vez los signos de

11

admiración, que marcan pausas momentáneas y el tempo de una melodía insonora de un momento no verbal que sufrimos y vivimos con tanta emoción, tan llenos de expectativas, dudas, miedo y esperanza en la misma proporción.

Yo era mucho más extrovertida que Mateo, así que inicié la conversación y le hablé de mis estudios, de mi trabajo, de mis planes, mientras él hacía acotaciones y comentarios breves, generalmente positivos, amables, incluso motivadores.

¿Qué nos pasa a los seres humanos? ¿Por qué es más fácil mostrar aprecio por extraños en primeras citas que por seres humanos reales cuando forjamos un vínculo con ellos y los conocemos bien? ¿Por qué valoramos más los logros y victorias de espejismos que a nuestros ojos parecen regalados por la providencia, que los logros y victorias de personas cercanas cuyos esfuerzos y luchas vemos directamente, y cuyas lágrimas y preocupaciones reconocemos?

Allí estábamos él y yo, hablando de nuestras vidas con total interés por lo que el otro expresaba. Imaginar un futuro en el que él criticaría y juzgaría absolutamente todo lo que yo dijera o hiciera parecía imposible. La persona que yo era en ese momento y a la que él halagaba, casualmente solo era una nueva chica que estaba conociendo, mientras que la mujer a la que tanto menospreciaría años después era alguien cuyos logros y victorias él conocía, y cuyos esfuerzos él había visto a diario con el pasar de los años.

Todo lo que puedo decir es que en ese entonces mi historial de vida, incluyendo mis logros y victorias, no contenía más que pasos inciertos, tumbos y trastabilleos que configuraban intentos por encontrar mi camino. Si soy sincera, más que preguntarme qué le pude ver a Mateo en nuestra primera cita (un hombre inteligente, serio, proyectado hacia el futuro), me pregunto si realmente yo constituía un partido interesante en ese momento: era joven, indecisa y me había retirado de dos carreras. Aun no tenía plena claridad sobre qué quería de la vida, aunque esta carencia fuera uno de los aspectos que me llevaba de alguna manera a luchar por superarme. Supongo que, a pesar de no tener claridad, tenía la suficiente para saber que no tenía.

Cuando era pequeña soñaba con ser profesora de preescolar. Siempre me he llevado muy bien con los niños y pensé que enseñar valores y nutrir a la próxima generación era una forma de ayudar al mundo a ser un lugar mejor, pero mi padre me dijo en ese entonces: "No seas profesora, cariño. En este país los profesores no ganan lo suficiente y su trabajo no se valora como debería".

Supongo que en esa época yo no entendía las palabras de mi padre en toda su extensión, pero él era un ídolo para mí; podría decir que era mi mentor en todo sentido.

Mis padres son colombianos. Cuando llegaron a Puerto Rico montaron un negocio de bebidas y fueron muy exitosos gracias a la habilidad económica y administrativa de mi papá, habilidad que él intentaba transmitirme desde niña a través de pequeños ejercicios. Él me daba una mesada, y me pedía que mapeara mis ingresos y egresos como si fuera un negocio. Consideraba que en un negocio era necesario empezar desde lo más bajo para aprender todas sus etapas y todos sus requerimientos, y siempre me proponía que pensara en ideas de negocios.

Recuerdo que me gustaba mucho cocinar y con frecuencia imaginaba tener algún negocio relacionado con la cocina. Hacía caso a mis padres incluso en eso.

Siempre fui muy estudiosa. Era la niña buena, tranquila, juiciosa, que sacaba buenas notas, pero eso no necesariamente significaba que supiera todo sobre la vida. Esto ocasionó mi primer fiasco profesional.

En la escuela era buena en biología. De hecho, siempre encontré fascinante la posibilidad de entender el funcionamiento del cuerpo humano. Incluso deseaba ser médico forense.

Fue ahí cuando mi hermano mayor quiso ayudarme. Su novia era la jefa de forenses en Puerto Rico y ella podría mostrarme cómo funcionaba su trabajo. Yo no podía estar más emocionada con la idea de ir a la morgue: me parecía que visitar ese lugar era como ver anticipadamente mi vida en el futuro, como echar un vistazo a muchos años adelante a través de una bola de cristal.

Entré al anfiteatro con muchas expectativas, pero no recuerdo cómo salí. Me desmayé al descubrir que estaba rodeada de cadáveres, y mi hermano tuvo que cargarme hasta la salida y ayudarme a recobrar el sentido.

A la mañana siguiente me retiré de biología, y la bola de cristal se rompió. No todo es para todo el mundo.

Fue entonces cuando decidí cursar psicología. Si algo me había quedado claro de mi estudio de biología era la importancia de saber cómo funcionamos. Pensé que entender el funcionamiento de la mente humana era algo fundamental, esencial para la vida diaria y para cualquier labor en la que me desempeñara en el mundo.

Fueron varios meses de aprendizaje, pero también terminé por retirarme, pues el proceso de aprender sobre la mente me estaba acostumbrando a analizarme todo el tiempo a mí misma y a los demás, y esto iba contra mi forma de ser, natural y despreocupada.

15

Una vez más, no todo es para todo el mundo, y las preguntas que rondaban mi pensamiento eran las siguientes: "¿Si esto no es para mí, entonces qué es para mí?, ¿para qué puedo ser buena en mi vida?, ¿cuál puede ser mi destino?".

Y me desesperaba por no saber qué hacer con mi vida, por no tener la misma claridad que tantas personas a mi alrededor parecían tener. A pesar de ser mayor de edad, me sentía como una niña en un mundo de adultos, y veía ese mundo como un mar inconmensurable cuyo final no podía determinar en el horizonte, y el futuro como un cielo profundo, infinito y envolvente, con el poder de tragarme y ante el que me sentía pequeña y vulnerable.

Fue entonces cuando el rostro de una mujer verde, de nariz larga y verrugas, ataviada con una larga túnica negra y un sombrero puntiagudo me hablaría dentro de mi mente con voz chillona y burlona. Era la Bruja Mala del Oeste, villana del Mago de Oz, quien repetía la frase que Wicked sabiamente había dicho en el musical:

Recuerda esto: nada está escrito en las estrellas, ni en estas estrellas ni en ninguna otra. Nadie controla tu destino.

16

Este pensamiento, a pesar de ser liberador y proporcionarme sosiego y tranquilidad, también hacía que el mundo en torno a mí, tan gigantesco e impenetrable como lucía dentro de mi mente, se extendiera aún más y me hiciera sentir aterrorizada. De no haber un destino, ninguna decisión que tomara sería correcta o incorrecta; no podría desviarme de un plan divino…, pero tampoco habría un fin ni un futuro esperándome en ninguna parte. Todas mis decisiones y sus consecuencias eran solo mías.

Quizás fuera porque mi padre fue la persona que me enseñó a tomar decisiones que mi forma de enfrentar al mundo se pareció a la suya, pues al final decidí estudiar negocios con énfasis en mercadeo. No solo era importante comprender el cuerpo como un biólogo o la mente como un psicólogo, sino también era necesario comprender el mundo.

Esta carrera sí la terminé.

Capítulo 3

Entre personas y productos I

Varios semestres más tarde, las matemáticas todavía me estaban matando, pero después de dos carreras abandonadas había aprendido a ser constante, y luché con todas mis fuerzas para estar a la altura y pasar con buenas notas. Así, supe desde el primer semestre que había tomado la decisión correcta, especialmente porque, aunque al principio no lo sabía, aprender sobre el mercado también me enseñaría mucho sobre las personas; pues, puedo decirlo con total certeza, la sociedad de los humanos es también un tipo de mercado.

Mi primera lección vino en el primer semestre.

El primer semestre es algo inolvidable: es el momento de la vida en que salimos al mundo y tenemos mucha más libertad de la que jamás tuvimos mientras estábamos en la escuela. Además, es la primera vez que nos dedicamos a algo que nosotros mismos elegimos.

Cuando cruzas la puerta de la universidad, lo que encuentras es un ambiente que estimula tu pensamiento, tu mente y tus sueños; y un montón de personas deseosas de ser tus amigos; con la misma alegría juvenil que tienen los estudiantes de la escuela, pero también con mucha más madurez como para no ser tóxicos o cretinos, al menos no de la misma manera.

Sin embargo, por más abiertas que sean las personas, la verdad es que algunas saben abrirse mejor que otras, y he ahí un principio de mi carrera que aplica a nuestra sociedad: muchas veces no se trata de qué tan bueno sea un producto, sino de qué tan buena sea su publicidad.

Mi compañera de carrera, Marcela, era una chica alta, de largo cabello negro y con lentes, a la que siempre veía sola con el ceño fruncido. Había algo en ella que me mantenía alejada: quizás era mucho más alta que yo, sacaba mejores notas, o su aspecto serio me hacía sentir insegura. Yo era inmadura entonces y lo sabía muy bien. ¿Qué podría tener yo para decir delante de ella que no sonara tonto?

Pero yo no era la única. Cuando íbamos en aquellos grupos masivos de estudiantes primíparos a las discotecas de San Juan, deseosos de vivir la vida y gozar de nuestra libertad, a Marcela no la invitaban.

Las semanas transcurrían y ella se notaba cada vez más aislada. Pasaba los descansos y los almuerzos sola. A veces sentía curiosidad por ella y me daban ganas de acercarme, pero confieso que me superaba el miedo. La chica del *blazer* negro era demasiado imponente ante mí. Yo era la chica de la blusa de tiritas, la que salía con el grupo de estudiantes risueños y soltaba risitas nerviosas cuando veía pasar a Tato, el chico que me gustaba.

Una tarde, mis amigos y yo estábamos sentados en el césped tomando el sol (uno de los placeres universitarios más maravillosos de los primeros semestres), y surgió el tema de Marcela.

—No me agrada Marcela, me parece muy creída —dijo uno de ellos—. No le gusta nada.

—Espera, ¿tú la conoces? —pregunté casualmente, intentando ocultar mi interés—. ¿Has hablado con ella?

Él negó con la cabeza.

—¡Claro que no! ¡Qué miedo! ¡De pronto me pega!

No pudimos evitar soltar una carcajada.

Nadie esperó verla pasar caminando muy cerca del grupo, con las mejillas rojas y evitando mirarnos.

Me sentí muy mal en ese momento, pero al día siguiente no me sentí mal: sentí pánico. Hasta ahora, siempre había experimentado cierta incomodidad cuando mis ojos se topaban con el ceño fruncido de Marcela, pero nuestras miradas no se encontrarían más. Ella ya no cruzaría su mirada conmigo ni con ninguno de los que estaban sentados en el césped el día anterior.

Y como decían mis padres: al que no quiere caldo se le dan dos tazas. Ese mismo día, a la hora del almuerzo, entré al baño y la vi allí, nerviosa, mirándose fijamente en el espejo, sin sus anteojos. Por primera vez noté sus ojos verdes bajo sus pobladas y estilizadas cejas. Estaba triste sosteniendo sus mejillas.

Quise regresar al comedor; pero noté que si intentaba salir, la puerta haría ruido. No encontraba qué hacer, así que me quedé parada allí por varios segundos, escuchando a Marcela sollozar, sin saber qué decir, si decir algo, o incluso revelar mi presencia. Ella abrió la llave para lavarse la cara y puso su bolso sobre el lavamanos, lista para maquillarse de nuevo, pero su caja de sombras se le cayó al suelo.

No supe dónde meterme, no supe si moverme o no, y me quedé ahí paralizada, como una tonta, mientras Marcela agachaba a recoger las sombras y se percataba de mi presencia.

Ahogó un grito, su rostro se tensó, levantó torpemente las sombras, el bolso y sus gafas y caminó hacia la salida, con los ojos clavados en la nada.

—Oye, disculpa, yo… —pero Marcela abandonó el baño y cerró la puerta tras de sí.

Me quedé allí pasmada durante varios minutos, antes de reaccionar, entrar al baño y lavarme la cara para despabilar y volver al comedor.

***

En los días que siguieron, la situación con Marcela no mejoró, pero la siguiente ocasión que uno de mis amigos intentó hacer algún comentario sobre ella, lo detuve:

—No digas nada. La verdad es que no la conocemos —le dije, aunque nunca conté lo del baño. Me sentía algo impactada por ese momento.

Así, terminaron los primeros dos cortes del semestre y solo faltaba uno más. Los momentos para relajarnos se hicieron cada vez más cortos y escasos. Los últimos parciales se acercaban y también los trabajos finales de cada asignatura. Poco a poco, dejé de pasar tiempo con mis amigos e incluso no fui a mi casa. Necesitaba quedarme en la universidad trabajando sola y en silencio, a fin de concentrarme en obtener buenos resultados para mí misma y para mis padres.

Fue así que, durante una oscura tarde de lluvia, permanecí en la biblioteca terminando un ensayo sobre el contexto económico del Mercosur. Entre tanto, la universidad se desocupó rápidamente. Mis amigos se despidieron y casi todos los que tomaban clases en la mañana y en la tarde desaparecieron de escena. Las luces se encendieron en los corredores, indicando que se acercaba el momento en que las clases nocturnas iniciarían, y que pronto llegarían los primeros estudiantes de ese turno.

Guardé mi ensayo y recogí mis cosas.

Noté que llevaba un largo rato sin comer nada y que mi estómago estaba sonando, quejándose de mi negligencia.

Me sentía débil y agotada. Me dolían los ojos y la cabeza de tanto trabajar. Quizás por eso no tuve suficiente cuidado al descender hacia el primer piso siguiendo la larga escalinata, empapada por la lluvia y el barro depositado allí por los zapatos de montones de estudiantes.

Sentí un vacío en el estómago. Mi talón resbaló hacia adelante y mis manos buscaron con desesperación algo de lo cual sostenerme, pero no alcanzaron a tiempo la barandilla de metal. Caí sentada por varios escalones y luego mi cuerpo se dobló horriblemente hacia un lado. Rodé entre agua de lluvia y barro hasta caer sobre mi pie, que estaba doblado en un ángulo extraño que me hizo gritar de miedo antes que de dolor.

—¡AYUDA! —exclamé, pero sabía que nadie me escucharía. Los celadores permanecían lejos de allí, cerca de las entradas. Los estudiantes de clases nocturnas no habían llegado y los de clases diurnas ya se habían marchado. No podía moverme, mi pierna doblada lanzaba pulsantes ondas de dolor y yo me estremecía. Grité con todas mis fuerzas y las lágrimas nublaron mi visión—. ¡AAARRRGGGHHH!

Entonces escuché que unos pasos se apresuraban corriendo hacia mí. Levanté la vista y vi a alguien muy alto, pensé que era un hombre.

—¡ME CAÍ! —grité, mientras la persona se acurrucaba a mi lado—. ¡Creo que me partí la pierna!

—Déjame ver qué te pasó.

Levanté la vista y me encontré con un par de gruesos anteojos, tras los cuales se veían unos ojos verdes, preocupados.

—¿Marcela?

—Está bien, mis papás son médicos.

Luego, me tomó de la mano. La suya estaba caliente a pesar del frío de la tarde.

—Tranquila, vas a estar bien —me dijo, y luego me movió para observar mi pierna—. Te doblaste el tobillo. No tienes nada roto, pero se te va a hinchar. ¿Puedes levantarte?

Negué con la cabeza.

—Déjame, te ayudo.

Cuidadosamente, Marcela puso mi brazo alrededor de sus hombros y me ayudó a ponerme en pie. Yo no podía caminar, pero ella me sirvió de apoyo, y así anduvimos lentamente hasta la enfermería que estaba situada al otro lado del campus.

—Oye, Marcela, perdóname por... —intenté decir.

—No digas nada —interrumpió ella—. Yo tampoco he sido muy... es que yo no soy muy buena en... no sé cómo...

Y se calló sin terminar de decir nada.

La miré con cierta timidez. Estando tan cerca, noté por primera vez que ella siempre llevaba un collar con un dije en forma de búho, y, también por primera vez, me fijé en que sus uñas siempre estaban pintadas de morado. Pero esos detalles no fueron lo único que conocí sobre ella ese día.

Cuando la enfermera terminó de atenderme y salí del consultorio, Marcela aún estaba allí, esperándome.

Ese día aprendí que las mejores personas no necesariamente aparentan serlo. Marcela resultó el ser más dulce que he conocido en mi vida y se convirtió en una de mis mejores amigas.

Recordé que mis amigos decían que era *creída* y que todos pensábamos que era malhumorada. Ella en realidad solo era tímida.

Entendí dos cosas. Primero, que los humanos pueden ser muy superficiales y perderse de conocer personas maravillosas al dejarse llevar por las apariencias o por prejuicios tontos. Segundo, que los seres más maravillosos muchas veces no saben cómo comunicarse o cómo mostrar a otros quiénes son, y alguien debe ayudarlos a hacerlo. Esa semilla quedaría en mí desde esa noche, y florecería mucho más adelante.

Nuestra sociedad también es un mercado, y al mercado lo mueve la comunicación como uno de los principios humanos primordiales.

Desde la mañana siguiente, pasaría la mayor parte de mi tiempo con Marcela, quien finalmente hizo muchos amigos.

Capítulo 4

Entre personas y productos II

Aprender de economía, aprender de amistad, aprender del mundo, de la vida, y del amor.

En la universidad hice un grupo de amigos muy divertido.

Estaba Marcela, mi fiel compañera y confidente, con la que tenía mucho más en común de lo que hubiera imaginado al principio; estaba Pepe, un muchacho gracioso y enamoradizo que coqueteaba con todas las mujeres de la facultad; estaba Miguel, un hombre obsesionado con el ejercicio y los músculos; disciplinado, pero algo maniático y que necesitaba controlar cada detalle de su vida; y, por supuesto, estaba Rosa, la más loca entre nosotros; una mujer enamorada de la vida, que buscaba con alegría las experiencias más extravagantes.

Fue una época maravillosa. Además de conocer a mis nuevos amigos, pude aprender cómo funcionaba el dinero, por qué un producto era más caro que otro, por qué algunos negocios fracasaban y otros sobrevivían, y supe cómo administrar mi propio dinero.

Lo que más me causaba fascinación era sin duda la publicidad y, aunque las lecciones más interesantes llegaron en clases, otras las entendí mejor gracias a las desventuras de mis amigos.

Una de ellas fue el concepto de *las cuatro P* del marketing, es decir, los cuatro ítems que tienes que definir antes de sacar un producto a la venta: Precio, Plaza, Producto (o servicio) y Promoción.

Empezando por el precio, aunque inicialmente pensaba que era definido por la empresa, no necesariamente era así; sino que dependía de dos factores externos: la oferta o el número de productos en el mercado que cubrieran la misma necesidad, y la demanda, es decir, las personas que querían o necesitaban comprarlo. Mis dos amigos me ayudaron a comprender este concepto.

Pepe y Miguel estaban, al igual que todos los hombres al entrar a la universidad, obsesionados con las chicas, las parejas y las relaciones. Curiosamente, como pude descubrir después de poco, poco tiempo, el éxito en las relaciones románticas no tiene tanto que ver con la belleza física, la personalidad o las cualidades internas como la inteligencia, la generosidad, o los valores humanos. El éxito depende de cómo sepas promocionar el producto, en otras palabras, de qué tan bien sepas comunicarte con tus posibles compradores (es decir, las parejas).

Aunque poner las cosas de este modo me hiciera pensar que el mundo era horriblemente superficial, con el tiempo entendería que las personas no son adivinas y, como seres humanos, tardamos en conocer las cualidades internas de otros, por lo que la forma de comunicarnos con otros es fundamental, a menos que estemos rodeados de psíquicos.

Pepe y Miguel tenían una forma muy diferente de ligar. Esto, en términos de publicidad, se traducía en un modo completamente opuesto de manejar la curva de oferta y demanda.

Pepe coqueteaba con todas las chicas de la universidad; era agradable, gracioso, confiable, amigo de todos, y siempre estaba disponible. Era el vendedor que hace propaganda masiva de su producto hasta que todo el mundo lo conoce y repite su nombre. Podía ser que no fuera el producto con mayor cotización en el mercado, y que su valor ante las mujeres se redujera por el exceso de oferta, pero a Pepe le bastaría con hacer una venta de vez en cuando. Era como los dulces de semáforo: son baratos, todos los conocen, y viven en el imaginario colectivo. Cualquier chica que saliera con él recibiría unas risas de sus amigas; pero todo el mundo compra dulces en los semáforos de vez en cuando.

Miguel era completamente distinto, pues él no se tomaba el trabajo de intentar ligar, sino que se dedicaba a hacer ejercicio y a ponerse bueno. Su modo de acercamiento con las chicas era no intentar. Él se hacía el difícil. Era el vendedor que se encarga de hacer que su producto parezca un bien *premium* que otorga estatus al comprador, y que limita la oferta para mantener alta la demanda y el valor. Miguel era como Carolina Herrera, y toda chica que saliera con él sacaría pecho con orgullo al sostener sus tríceps, y recibiría un gesto de aprobación lujuriosa de cada amiga.

Ahora, ¿quién era yo y cómo era mi forma de relacionarme con el sexo opuesto?

Lo confieso: yo era estúpida y cometí un error de principiante por no entender los principios del marketing.

Me gustaba un muchacho llamado Tato. Me ponía nerviosa cada vez que lo veía. Tato era, atlético, alto, de buen porte. No era el más popular, pero sin duda hacía que más de una se le quedase mirando cuando deambulaba por la universidad. No sabía más de él que su nombre y su carrera.

En tercer semestre a Rosa se le metió en la cabeza que todos deberíamos ir de viaje a Luquillo en las vacaciones de fin de curso . Era un plan agradable. Su itinerario no solo comprendía la típica ida a la playa y a los bares, también incluía una serie de deportes de riesgo y aventuras al estilo de Rosa, que no serían costeadas por el bolsillo de mi padre.

Por esa razón, conseguí un trabajo de medio tiempo en una tienda de ropa cerca de la universidad. Mi mayor sorpresa fue darme cuenta de que mi supervisor sería nada más ni nada menos que Tato.

En ese entonces había otro compañero de clase que gustaba de mí, Luis. Era un hombre bueno, atento, detallista, que generalmente esperaba en la universidad a que yo saliera del trabajo para acompañarme a tomar el transporte a casa. Encarnaba mi primera ilusión: su familia era buena y respetable; y la única vez que había hablado con ellos al encontrarlos por la calle me habían tratado muy bien. Pero él no era Tato.

Tato era distinto a mi pretendiente. Emanaba un aire de confianza y seguridad que me envolvió; era divertido, se relacionaba bien con todos. Pasar tiempo juntos fuera de la universidad, aunque fuese en un ambiente laboral, hizo que por fin pudiese hablarle sin bloquearme y quedarme boquiabierta. Ser mi jefe no le impidió que nos fuésemos acercando hasta alcanzar una relación agradable. Todo el tiempo él me insinuaba que yo le gustaba, pero yo tenía a un pretendiente, así que solo me reía de sus comentarios sin seguirle la cuerda.

—¿Pero, de verdad te gusta? —me preguntó Marcela un día, sentadas en el césped.

—¿Quién?

—Luis.

—Por supuesto, es muy especial.

—No parece. El otro día que lo acompañé a recogerte del trabajo, parecías más triste de dejar la tienda que feliz por pasar unos minutos con él.

—Estaba cansada, Marcela. No tengo que andar de risitas todo el tiempo.

—Sé honesta, si no conmigo, al menos contigo misma.

Así era Marcela, veía más allá y, sin decir mucho, me hacía reflexionar en más cosas de las que yo estaba dispuesta a admitirme. De este modo, fue como me convertí en una pendeja por primera vez. No por Marcela, ni por lo que dijo, sino por mis propias malas decisiones. Pocos días después le dije a Luis que me gustaba otra persona. Lo liberé a él de una relación en la que solo había un interesado, para darle la bienvenida a las insinuaciones y coqueteos de Tato. En menos de dos semanas ya estábamos saliendo.

Como toda mujer latina, crecí viendo telenovelas de esas que nos enseñaban a ser románticas empedernidas y a idealizar el amor. Eso, sumado a mi tendencia a pensar siempre bien de las otras personas me llevó a enamorarme perdidamente y a entregarme de forma desmedida.

Lo curioso de los primeros amores es que, cuando los vemos en retrospectiva, suelen ser tóxicos, llenos de emociones fuertes, de dolor y apego…, pero la persona con la que los vivimos nunca es, de forma objetiva, la mejor para nosotros, y nosotros tampoco lo somos para ella. Aun así, caemos en un hechizo por ese ser que se fijó en nosotros, que nos hizo sentir especiales, únicas y valiosas por primera vez, y le damos un valor exagerado en retorno.

Era romántica, dulce, tonta, y nunca se me hubiera pasado por la cabeza entonces pensar en oferta y demanda. Siempre estaba ahí para él; daba el 100 % por nosotros, luego el 110 %, el 150 % y el 200 %, excediendo la oferta con creces y haciéndome tan disponible para él que disminuyó mi valor dentro de su mente.

Nunca olvidaré esa tarde que salí a caminar por el centro y me lo encontré o, mejor dicho, lo vi a través de la ventana de un bar, besuqueándose con la Paola Machado, una estudiante de ingeniería.

Quedé helada en la mitad de la calle, sin saber si seguir mirando, si lo que estaba mirando era real, si sentirme devastada y romper a llorar, o si estallar de rabia y entrar al bar a insertar mi zapato en su boca, que seguro estaba llena de la saliva de Paola Machado.

El maldito se tardó un rato en descubrir que yo estaba ahí mirándolo. Su cara cambió de color varias veces: primero se puso pálido como un fantasma, luego rojo como la blusa de ella, y finalmente sus mejillas adquirieron un raro tono púrpura mientras se levantaba de la silla torpemente y le daba excusas a su acompañante.

Entonces mi cuerpo reaccionó y supe qué hacer: largarme de ahí cuanto antes. Mis ojos me traicionaron y empecé a llorar huyendo de la vergonzosa escena, aterrada por las miradas de los transeúntes, mientras él me perseguía corriendo, balbuceando disculpas que yo no alcanzaba a escuchar, que no quería escuchar… En realidad, excusas que tenía miedo de oír por si era tonta de nuevo y terminaba creyéndolas.

Cuando llegué a mi casa y cerré la puerta, pensé que Tato timbraría, pero seguramente él se imaginó que, si se atrevía, mi papá le iba a romper las piernas por cínico.

Me encerré en mi cuarto a llorar como una Magdalena, como si él fuera importante, como si esa situación valiera la pena, como si hubiera perdido un maravilloso ejemplar. No obstante, en realidad lloraba porque me sentía estúpida por haber creído en él, por haberme enamorado, por haber sido tan entregada. ¿No me había dicho Marcela que tuviera cuidado? ¿No me había dicho Pepe que Tato se veía perro, y que perro reconoce perro? Estaba destrozada. Hice un drama de mí misma, aunque ahora pienso que no debería haberlo hecho, pues toda experiencia es positiva y trae cierto aprendizaje, así nos deje destrozados. En los días que siguieron Tato intentó disculparse, jurarme amor eterno, llevarme rosas, regalos; pero lo único que yo sabía era que ya no era posible para mí estar con él. En una situación como esa ya no hay mercadeo que valga. Lo veía como a ese producto al que le tomas desconfianza después de tener una mala experiencia. Él era como esa marca de leche achocolatada que compré en la tienda de mi barrio cuando tenía nueve años, y que habían dejado mal refrigerada. Estaba agria y terminé con una intoxicación.

Aunque me recuperé, nunca pude volver a tomar leche achocolatada de esa marca.

Tampoco pude seguir siendo su amiga.

Capítulo 5

Valor agregado

Recibí mi próxima lección de vida y de economía en la universidad algunos meses más tarde, aunque no se trató de un concepto nuevo para mí. Todo lo contrario, fue la cruda realización de algo que había vivido y experimentado por años, así no fuera consciente de ello, así pensara que se trataba simplemente de la cultura e incultura de nuestros países latinos.

La primera vez que pude sentirme molesta por eso fue una mañana en clase de emprendimiento. Tomaba esta clase junto a Marcela quien, extrañamente, no era muy buena en esta asignatura y parecía sentir un desagrado especial por el maestro.

Aquella mañana de clases, el profesor preguntó lo siguiente:

—¿Quién puede decirme en qué se diferencia un *lean startup* de un emprendimiento corriente?

Yo lo sabía. Levanté la mano y respondí:

—En el *lean startup*, la empresa desarrolla el producto de la mano del cliente, mientras que en un emprendimiento tradicional el producto ya está desarrollado cuando se empieza a vender.

Marcela me guiñó un ojo. El profesor no dijo nada. Me dedicó una sonrisa y continuó esperando para dar la palabra a Pedro Hernández, de sexto semestre:

—Profe, en el *lean startup* la empresa lanza un producto viable mínimo y lo desarrolla de acuerdo a las necesidades del cliente. En el emprendimiento tradicional lo desarrolla antes de venderlo.

—¡Bien, Pedro! ¡Veo que estuvo estudiando!

Me encogí de hombros y miré a Marcela, quien negó con la cabeza. Algunas risitas resonaron a mi alrededor. Nuestros compañeros se habían dado cuenta, pero ni el profesor ni Pedro hicieron algún comentario.

—Detesto a ese tipo —dijo Marcela sin miramientos una vez salimos del aula—; tú dijiste la respuesta primero que Pedro y te ignoró.

—No es para tanto. Supongo que le puede pasar a cualquiera —respondí, conciliadora a pesar de no sentirme convencida.

—No, Vale, no es la primera vez que te ignora cuando hablas. Siempre te ignora. ¡Nos ignora!

La miré fijamente. Marcela era una persona muy puesta en su sitio. No era usual en ella que se tomara un problema pequeño de manera tan personal y, mucho menos, que expresara abiertamente tanto desagrado por un maestro.

—¿Dices que tiene algo contra nosotras?

Ella negó con la cabeza.

—No. No somos nosotras. Él nunca escucha a las mujeres. Siempre las ignora y le da la palabra a Pedro, a López o a cualquiera de los hombres.

No hice ningún comentario. En ese momento pensé que Marcela estaba exagerando, pero pronto noté que era todo lo contrario: Marcela había dicho que ese profesor, en particular, ignoraba a las mujeres, sin embargo, la realidad era que las mujeres éramos ignoradas en todas las aulas por todos los maestros, e incluso en nuestras propias casas por nuestros padres.

En las aulas siempre pasaba lo mismo. No era algo muy manifiesto, pero sí respondía a un patrón de comportamiento que estaba presente y que era llevado a cabo incluso por profesoras mujeres: una de nosotras hablaba y cualquiera de los hombres interrumpía. De inmediato, la mirada de la figura de autoridad iba directamente al hombre, sin importar quién fuera o cuál era su comentario. Entonces, la mujer guardaba silencio por educación, y miraba también al hombre para escuchar.

Entre nosotras, había estudiantes como Marcela, que sacaban puntajes inalcanzables, o incluso como yo, que me esforzaba mucho más que cualquiera para mantener un promedio considerablemente alto del que mis padres pudieran sentirse orgullosos. Entre ellos, había estudiantes aplicados como Pedro, pero también los había como Pepe, que iba a la universidad a divertirse y apenas pasaba las materias con 3,5. ¿Cómo era posible que el profesorado desviara su mirada de Marcela hacia Pepe durante un debate serio, sabiendo que las opiniones de este nunca eran serias?

Esa fue la primera conducta que detecté, pero había otras dos. La segunda se manifestaba cuando alguna de nosotras planteaba una duda. Si un hombre preguntaba algo, el maestro respondería a su pregunta de forma corta, clara y concisa; pero si una de nosotras lo hacía, hablaría con un lenguaje en exceso amable y dolorosamente condescendiente, deteniéndose para confirmar si comprendíamos conceptos previos que eran parte de su explicación antes de ir al punto. Los hombres nos hablaban como si fuéramos niñas pequeñas.

La tercera conducta era la más fácil de notar, aunque también la más fácil de ignorar, y era el trato hacia nosotras. El trato hacia las mujeres en la academia era amable, cariñoso y comprensivo en comparación con el que se aplicaba los hombres. A nosotras no nos regañaban, no nos exigían, y el modo en que nos trataban no dependía en absoluto de nuestra capacidad para resolver ejercicios o presentar trabajos. A todas se nos consideraba por igual, con la misma amabilidad condescendiente y la misma falta de exigencia que cargaba un mensaje oculto y desalentador: o nadie creía que fuéramos capaces de lograr nada, o nadie creía que *fuera necesario* que lográramos nada porque esperaban que nuestras vidas estuvieran solucionadas una vez nos casáramos y dependiéramos completamente de un hombre.

Había cierto desdén en el exceso de amabilidad de los hombres de entonces. El mismo exceso que encuentras en el trato que un adulto tiene con un niño pequeño: la sonrisa significa que te parece tierno, la voz que quiere hacerte feliz; pero ambas, de alguna manera, implican que el adulto está en el poder y que no te considera un igual.

Esa amable condescendencia estaba presente en cada una de estas conductas y, una vez la noté, una parte de mí pensó que era más feliz antes de hacerlo, pues ahora entendía lo que decía mamá cuando hablaba de lo difícil que era ser mujer en un mundo de hombres. Me sentía enfadada y humillada, y tenía una razón más para ser mejor académicamente; pero en cuanto lograba superarme a mí misma y presentar proyectos cada vez mejores, encontraba más y más de esa invisible indiferencia detrás de la cual residía una realidad aún peor: que todo lo que se espera de nosotras en este mundo es que seamos bonitas, no que seamos inteligentes, creativas, innovadoras, exitosas o competitivas en el mundo real, y que cuando lo somos se nos ve con malos ojos.

Me lo decían los reinados de belleza, las actrices y cantantes famosas. Las divas lo gritaban en sus canciones, pero la sociedad no lograba escucharlo, y la desoladora realidad era que, como mujeres en un mundo en el que todos somos productos, nosotras somos un producto con mucho menos valor más allá de lo físico y estamos obligadas, por el simple hecho de ser mujeres, a ofrecer un valor agregado simplemente para ser tomadas en cuenta y que se vea lo que valemos. Cada mujer tenía que esforzarse el doble para resaltar.

Era justo como la infancia de muchas de nosotras. Mientras mi hermano mayor miraba televisión, mi hermana y yo ayudábamos con los quehaceres de la casa. Él sería el pequeño campeón de mamá sin siquiera mover un dedo, y nosotras teníamos que ganarnos un lugar en el mundo. No éramos la campeona de nadie; de hecho, ser campeona no significa nada. Todos conocen al Dieguito Maradona y a Pelé, pero nadie sabe siquiera quién ganó el mundial de fútbol femenino del año pasado.

41

Comprender esta realidad y empezar a observar su incidencia en la vida diaria fue difícil. En un principio me hizo enfadarme con muchas personas: amigos, familiares, compañeros, profesores; pero, con el tiempo entendí que ni siquiera ellos y ellas tienen la culpa por seguir patrones de comportamiento con los que vienen programados desde pequeños en nuestra sociedad, y comprendí que es un arduo trabajo romper con estos paradigmas sociales que están arraigados en nuestra cultura e incultura.

Ahora, puedo decir que a largo plazo fue algo bueno empezar a notar estas cosas. Al menos me ayudó a saber dónde estaba parada, y dónde estarían paradas todas las mujeres que han depositado su imagen y el éxito de sus carreras en mis manos.

Además, tanto esfuerzo elevó mi promedio a tal punto que una oportunidad que cambiaría mi vida llegó.

Capítulo 6

Desafiando la gravedad

Tras mi primera decepción amorosa no pude fijarme en otros muchachos por un tiempo. Me sentía vulnerable, me parecía que las personas eran egoístas, que nadie valoraba nada de lo que hacías, y que todos los hombres solo buscaban una cosa de las mujeres bonitas.

En lugar de enamorarme de otro de mis compañeros, me sentí atraída por alguien que tenía la facultad, o bien la obligación de valorarme en formas que Tato o cualquier otro chico no tenía: mi profesor de contabilidad.

Era imposible no fijarme en un hombre tan serio, tan maduro, con tanta inteligencia y tan estable emocionalmente; un hombre muy distinto a Tato, un hombre que me valoraba no por mi cuerpo ni mi cara, sino por mis capacidades, que él conocía muy bien por ser la persona que leía mis trabajos y evaluaciones, y que revisaba mis proyectos estudiantiles.

Era un hombre muy guapo. Estaba muy bien conservado y su cuerpo bien formado, que se marcaba bajo su camisa y su corbata, revelaba que claramente se dedicaba al ejercicio y a la comida saludable. Sin embargo, lo mejor de él no era exactamente que fuera la representación perfecta de la fantasía de salir con un profesor. Lo mejor de él era que yo sabía muy bien que nada sucedería con él jamás, y eso, lejos de ser frustrante, me hacía sentir segura, ya que reducía las posibilidades de salir lastimada a un definitivo cero por ciento: eso es lo hermoso de los amores platónicos.

Un día, cuando estaba en octavo semestre, me llamó a su oficina. Mi corazón latía con fuerza, no porque creyera que algo podría pasar, sino porque estar en su presencia a solas me emocionaba. Aún era una niña.

Me habló de mi promedio y de mis notas, me felicitó por mi proyecto de tesis, que aún estaba en una etapa básica, pero resultaba prometedor, y me dijo que había algo que podría cambiar el rumbo de mi vida.

—¿Has pensado en realizar una maestría fuera del país? —me preguntó mientras abría su fólder y rebuscaba entre sus papeles un folleto—. Creo que este programa es perfecto para ti y que se ajusta al perfil tuyo.

Revisé el folleto. Se trataba de un internado de mercadeo y relaciones públicas en Australia. Los precios estaban por las nubes. Sabía que no podía simplemente llegar a mi casa en la tarde a pedirle semejante cantidad de dinero a mi papá.

—Es muy costoso —tercié.

—Mira la parte de abajo, Valentina. Tienen convenio con esta universidad, y podrás aplicar para una beca si mantienes un promedio por encima de cuatro punto siete sobre cinco. Tu promedio te alcanza para aplicar, solo tienes que mantenerlo durante todo el semestre y podrás pasar papeles para la convocatoria.

Era cierto.

Sonreí. Guardé el folleto cuidadosamente entre mi cuaderno de economía y me despedí de mi profesor, agradeciendo infinitamente que creyera en mí.

Si lo pienso, ese profesor fue una figura importante en mi vida. Cuando eres joven y estás tan desorientado como estamos todos los jóvenes, tener una persona que te demuestre que cree en ti, que cree en tus capacidades y que piensa que puedes lograr ser algo en la vida es invaluable. No es como la fe que pueden tener tus padres en ti: ellos *son* tus padres, deben creer en ti, se supone que lo hagan.

Ese folleto dentro de mi cuaderno se convirtió en mi nueva esperanza, en mi nuevo plan de vida y en mi nueva motivación para enfrentar el día a día, incluso si este incluía clases de matemáticas cada vez más difíciles.

Empecé a esforzarme el doble. Me trasnochaba estudiando y hacía cada tarea con tanta anticipación que mis amigos de la universidad se extrañaban y les parecía que estaba llevando esto demasiado lejos.

Cuando les conté a mis padres lo que estaba tramando, me dieron alientos para seguir adelante. Ellos estaban orgullosos de su niña y veían que esta finalmente estaba creciendo.

Por mi parte, no puedo negar que tenía miedo. Por primera vez en toda mi vida estaría sola, por mi cuenta, a casi dieciocho mil kilómetros de distancia de mi familia, en un lugar con una cultura completamente diferente a la mía, rodeada de inmigrantes de todas partes del mundo y bajo un sistema de calificación diferente. Me sentía aterrada, aunque el terror y el miedo a lo desconocido fueran parte de la aventura, parte de la emoción que me podía causar irme a un lugar diferente.

En ese viaje quizás encontraría mi verdadero propósito de vida, mi verdadera función en este mundo. En ese viaje, al estar sola, tal vez podría comprobar realmente de qué era capaz y quién era yo como individuo más allá de mi entorno y de todas las personas a mi alrededor; pues siempre, como todo el mundo, me reconocía a mí misma bajo la luz de los otros y no podía dibujar la línea entre mi identidad propia y la identidad que mis padres habían formado, la que mis amigos y amigas apreciaban y necesitaban a veces, la que mi novio había querido y traicionado, o la que mi profesor admiraba por ser una estudiante modelo.

¿Quién era yo en verdad? ¿Quién era yo para mí misma, únicamente bajo mi propia luz? ¿Cómo era esa luz propia, si es que la tenía?

Y el día de descubrirlo llegó.

Varios meses más tarde estaba parada en el Aeropuerto Internacional Luis Muñoz Marín, preparada y al mismo tiempo no tan preparada para partir, sosteniendo un tiquete de 3,600 USD en una mano, y una valija con ropa y papeles en la otra. Mi familia estaba allí para despedirme y las lágrimas no se harían esperar.

Había logrado mantener el promedio necesario para aplicar a la beca y ahora me marchaba hacia un lugar desconocido, sabiendo que no volvería a ver a mis padres en un largo tiempo y que este era el momento de abrir mis alas y volar lejos de casa: era mi momento de desafiar la gravedad.

Too late for second guessing,

too late to go back to sleep,

it's time to trust my instincts,

close my eyes and leap.

Cantaba la voz de Elphaba dentro de mi mente mientras ingresaba a la sala de abordaje, mirando con lágrimas en los ojos, una última vez, a mis seres queridos, que se despedían con amplias sonrisas en sus rostros llenos de orgullo.

Llegué a Australia dos días más tarde, mareada.

Capítulo 7
Melbourne y el Príncipe Alí

Cuando estaba pequeña, mi prima Carolina y yo fuimos a ver *Aladdin* de Disney en el cine. Siempre creí que la princesa Jasmine era increíble: ella era una mujer hermosa, fuerte e inteligente que no aceptaría el destino que le imponía la sociedad o su padre, sino que elegiría por su propia cuenta cómo quería vivir y con quién quería estar. Además, su mascota era un enorme tigre llamado *Rajah*.

Llegué a la ciudad de Melbourne a casa de mi prima y me sentí afortunada. Melbourne era un lugar maravilloso: sus callejones adornados de colorido arte urbano, sus enormes mercados, los jardines botánicos, los gigantescos parques deportivos, las bahías, los pingüinos… era un mundo completamente diferente al mío.

La Universidad de Melbourne era un edificio con cierto corte real que me recordaba al parlamento inglés. Los salones de clase eran auditorios de conferencias cuyos asistentes venían de cualquier lugar del mundo. Conocí a estudiantes de India, Senegal, China, Francia, Ucrania, y los latinos, provenientes de países tan diferentes entre sí, allí éramos como hermanos de sangre con acentos distintos.

Entre tantas personas nuevas, conocí a Munir. Era, con gran diferencia, el hombre más atractivo y perfecto que había visto en mi vida. Diría que era un príncipe de Disney, *Aladdin* en persona, o el Príncipe Alí, su alter ego rico y elegante.

Munir era cardiólogo. Era un hombre inteligente, amable, detallista con las mujeres, sensible, caballeroso, y todo lo que un auténtico príncipe tenía que ser. Tenía grandes ojos marrón, pobladas cejas y una barba intensa y varonil que lo hacía digno de una revista. Era imposible no sentir que el suelo se movía bajo mis pies cuando él estaba cerca de mí, pero si era imposible hacer cualquier cosa al respecto ya que salía con mi prima.

—¡No puedo creer tu suerte! —le dije una noche, entre copas, cuando me llevó a conocer un bar clásico de Melbourne llamado 1806—. ¡En serio! ¡Yo no sabía que existían hombres así!

—¡Y no te he contado la mejor parte! —respondió Carolina con sus mejillas rojas y una amplia sonrisa.

—¿Tiene una alfombra voladora? ¿Su mascota es un tigre? ¿Un pájaro que habla? —bromeé entre risas.

Mi prima resopló con desdén.

—Él no necesita un tigre, *es* un tigre.

Levanté mi copa hacia ella en señal de admiración y respeto.

—Munir me quiere en serio. Me propuso matrimonio.

Ahogué un grito.

—¿Te propuso MATRIMONIO? —dije casi gritando—. ¡Esto es enorme! ¿Por qué no me habías contado?

Mi prima me tomó de los hombros para que me sentara de nuevo. Sin darme cuenta, me había levantado de mi silla.

—No me propuso matrimonio. Bueno sí, pero no…

Esperé a que se explicara mejor.

—Mira, Munir viene de una familia de costumbres muy tradicionales. Al parecer hay ciertas cosas que se deben hacer para proponer matrimonio dentro de su cultura. No es sólo ponerte de rodillas y sacar un anillo como en occidente. Su religión y su contexto son muy diferentes a los nuestros.

—Ya veo —dije, algo decepcionada.

—Primero tengo que ir a conocer a su madre a Ankara. Allí, debo convivir con ella durante tres meses. Después de eso, su familia aprobará la boda y podremos casarnos.

Me quedé mirando fijamente a Carolina, sin dejar pasar la incertidumbre en el tono de su voz.

—¿Qué pasa Caro? ¿Por qué te veo insegura?

Ella negó con la cabeza, pero después dijo:

—Porque Munir me dijo que sus padres no aprueban que una mujer se vaya a estudiar sola al otro lado del mundo. Ellos piensan que eso me convierte en una mujer demasiado mundana para su hijo.

No supe si reírme de tal idiotez o sentirme furiosa. Las mujeres como Carolina y yo nos habíamos matado estudiando para estar aquí el día de hoy, nos habíamos trasnochado leyendo y trabajando para obtener los promedios académicos necesarios. Estábamos lejos de nuestras familias, de nuestras mascotas, esforzándonos para lograr algo en la vida, ¿y ahora éramos "mundanas" por eso?

No le dije nada a mi prima. No quería ofenderla, pero en el fondo me sentí indignada por esa posición y la próxima vez que vi a Munir me pareció un poco menos atractivo, pero la verdad es que eso era sólo la punta del *iceberg*.

Carolina viajó a Ankara para convivir con la madre de Munir, pero no duró tres meses sino tres semanas.

Mi prima regresó tan molesta que, apenas dos horas después de bajarse del avión, ordenó cuatro botellas de *Sullivan's Cove*

French Oak Whisky y las abrió en nuestra sala para revelar, entre lágrimas de furia, lo que somos las mujeres en lo que es, al igual que Australia, otro mundo completamente diferente al mío.

Cuando Carolina llegó a Ankara, no esperaba encontrarse con una casa del tamaño de un pueblo pequeño y decenas de sirvientes que trabajaban para la familia de Munir. Lo que ella esperaba encontrar era a su novio, pero él no estaba allí: el objetivo de estos tres meses era que conviviera con su madre y aprendiera de ella cómo ser una buena esposa y madre para sus nietos.

La señora Beste era una persona estricta que rara vez sonreía, o al menos eso fue lo que Carolina pensó al conocerla, pero pronto comprobaría que la mujer simplemente sentía un profundo desagrado por ella ya que, desde su punto de vista, se vestía y actuaba como un hombre.

—¡Espera! ¿Por tus *jeans* y suéteres de *gap*? —la interrumpí.

Ella asintió con la cabeza y se encogió de hombros.

—Pero si usaba falda entonces estaba provocando a los hombres —dijo, negando con la cabeza—. No importa lo que hagas, todo está mal. Pero esta no es la peor parte.

—¿Cuál es la peor parte?

—Durante los primeros días, la señora Beste me enseñó a lavar ropa, a limpiar pisos, y a cocinar para Munir.

—¡No es cierto!

—Primero me mostraba cómo hacerlo y luego me daba prendas sucias. Las cubría de barro o grasa y luego me las daba para que le mostrara cómo limpiaba, y comprobar que estuvieran limpias.

—¿Como en un comercial de detergente? —pregunté, sin poder creer lo que estaba escuchando.

Esta vez Carolina soltó una carcajada.

—¡Sí! ¡Exactamente! ¡Era como estar dentro de un comercial de detergente que duraba horas y horas! Y más tarde me ponía a hacer el almuerzo y juzgaba la textura, el sabor, la cantidad de sal… pensándolo bien, no era un comercial, era un *Reality Show*.

Mi lado lógico salió a relucir:

—Pero dices que ellos tienen montones de sirvientes. ¿Para qué necesita ella que la esposa de su hijo cocine o limpie?

—¿Y para qué necesitan las esposas vivir si no es para cocinar o limpiar? Se supone que trabajar es para los hombres. Las mujeres limpian, cocinan, arreglan la casa, y si necesitan ayuda, buscan más esposas para su marido, elegidas por ellas, y las traen a su casa para que trabajen.

—¿*Esposas*, dijiste?

—Sí. Eso dije: *esposas*. Los hombres pueden tener cuantas esposas quieran.

—¡Lo único que faltaba!

—Sí. La primera esposa tiene el derecho de aceptar o rechazar a las nuevas esposas y su deber es enseñarles a hacer los quehaceres tal y como la madre le enseñó a ella. Ella organiza a las otras y ellas deben obedecerla. Es una especie de jefa de limpieza.

Negué con la cabeza.

Por una parte, me pareció increíble pensar que la mujer tuviera un papel así en la cultura de otros países, pero por otra, no pude evitar sentir cierto desasosiego al preguntarme qué tan lejos estábamos realmente de ellos, o qué tan importantes éramos las mujeres en nuestros respectivos países a principios del nuevo milenio.

Sí, las mujeres podíamos votar, pero nuestros líderes políticos seguían siendo, en su mayoría, hombres. Sí, podíamos vestirnos como quisiéramos, pero aún en mi país, te podían llamar marimacho por vestir demasiado masculina, y podrías ser víctima de acoso sexual por usar una falda corta en el verano. Sí, las mujeres ya no estábamos obligadas a limpiar la casa y cuidar bebés, pero eso seguía siendo lo que el mundo esperaba que hiciéramos aún si teníamos carreras, títulos, o profesiones exitosas.

Por un lado, me sentí muy contenta de que Carolina hubiera dejado a Munir para siempre, pero cierta vocecilla dentro de mi cabeza me decía que en mi contexto latinoamericano era igual de fácil caer con una persona así y terminar atrapada en una vida en la que no serías valorada.

Mi prima y yo continuamos viviendo, aprendiendo, mejorando, y creciendo como mujeres fuertes, independientes e inteligentes. Inspiradas por esta experiencia, ambas decidimos que le mostraríamos al mundo lo que realmente significa ser mujer en un mundo como el nuestro.

Ser mujer significa ser valiente.

Capítulo 8

Asesoría de imagen

Cuando era pequeña, tenía miedo a las serpientes de mi vecino.

Sí. Mi vecino tenía serpientes como mascotas. Supongo que no podía conformarse con un *golden retriever* o un gato, como la gente normal, y necesitaba escuchar siseos, ver largas y delgadas criaturas arrastrándose terroríficamente por toda su casa. Era su vida y ni yo ni nadie podríamos criticarlo, ¿verdad?

Mi problema con sus serpientes era que a veces, en mitad de la noche, lo escuchaba gritar sus nombres a todo volumen porque ellas habían decidido salir a dar un paseo nocturno fuera de su casa. Esto no hubiera sido un problema si no fuera porque mi casa quedaba al lado...

57

Me aterraba pensar que sus serpientes hubieran elegido mi alcoba o incluso mi cama como sitio de reunión para sus salidas nocturnas, y que estuvieran en algún lugar de mi casa escondiéndose de su legítimo propietario.

Apenas él empezaba a decir sus nombres, yo sentía que estaban trepándome por la pierna, y oía el siseo sobre el tapete de la alcoba. Mi sangre se helaba de tan solo pensarlo…

Pero ahora, si lo pienso en retrospectiva, esas serpientes no suponían un peligro; en realidad eran mascotas amorosas que dependían de su dueño humano y seguramente, si me las hubiera encontrado, ellas habrían estado mucho más asustadas de mí que yo de ellas.

Lejos de cernirse sobre mí y comerse mi cara con sus enormes y afilados colmillos, ellas habrían huido, pues eran criaturas que se alimentaban en casa de la comida que su amo les servía, en lugar de buscar las caras de los vecinos como parte de su dieta. Seguramente solo querían pasear un rato y disfrutar del césped y el aire fresco de la noche. Incluso, quizás solo se escapaban de noche porque en el día el vecindario estaba lleno de personas caminando y hablando fuerte, o de automóviles, motocicletas y todo tipo de vehículos que hacían un ruido que, como serpientes que eran, no debía parecerles muy agradable.

Sin embargo, ¿cómo evitar sentirme aterrada? La verdad es que las serpientes no han recibido muy buena publicidad a través de los años. En realidad, han sido usadas como objeto de explotación en el cine, la ficción y los medios durante más tiempo del que podemos contar. Siempre nos las pintaron como seres malvados.

Cuando estaba en el colegio dieron una película llamada Anaconda, en la que una serpiente gigante atacaba a un barco y se aseguraba de matar uno por uno, en formas violentas y aterradoras, a cada uno de los tripulantes. Pero la enorme y gruesa culebra con un don especial para estrangular no era la única serpiente en mi memoria: también estaban la cámara llena de serpientes de Indiana Jones, Jafar, el villano de Aladino, cuando se convertía en una enorme cobra, la serpiente Kaa en el Libro de la Selva, Medusa en la mitología griega, Conan el Bárbaro, etc.

Desde la serpiente del *Génesis* hasta la película *Serpientes a bordo*, estos animales siempre han sido perversos en el imaginario de los seres humanos y por eso en mi imaginario también lo eran entonces. ¿Qué pasaba con mi vecino? ¿Él pensaba diferente? ¿Quizás él no había sido sugestionado con estas cosas durante toda su vida?

Quizás sí, pero él conocía a las serpientes por lo que eran, no por su imagen ante el público. Él sabía cómo se comportaban, qué comían, a qué horas iban al baño, qué les gustaba y qué no les gustaba. En lugar de ser un viejo raro, quizás era simplemente una persona más sensible que las demás, o con una afinidad especial con los animales.

Quizás las serpientes tampoco fueran tan malas, pues alejaban a los ratones, cucarachas y hasta a los ladrones de la casa del vecino, que era el único que no tenía que comprar insecticidas a pesar del clima caliente de la zona.

Alguna vez durante mi maestría en Australia recordé al vecino por sus serpientes. Ahora, mucho después de esos tiempos de infancia y de miedos infantiles, me encontraba regresando de ese país, convertida en una mujer hecha y derecha.

...

Estudiar relaciones públicas me condujo a encontrar mi camino. Puedo decir que el día que volví de Australia realmente sabía lo que quería hacer con mi vida: ser asesora de comunicaciones e imagen.

Actualmente, soy la persona detrás de bambalinas, la que diseña las estrategias comunicativas, la que ayuda a un artista, a un político o a una figura pública a elegir las palabras correctas, la imagen correcta, la información correcta para transmitir el mensaje que necesita llevar a su público.

Es curioso que las personas puedan pensar que la imagen es algo superficial. Nada está más lejos de la realidad. El trabajo de un asesor de imagen no es cambiar a una persona para que se convierta en algo que no es, es ayudarla a encontrar dentro de ella misma esa identidad propia que el mundo necesita ver y conocer, y que puede ser la clave de su éxito. Trabajamos para que las personas puedan definir su autoconcepto, su autoestima, y las ayudamos a encontrar ese fundamento personal, a trabajarlo, y a llevarlo afuera para que puedan conectar con otros seres humanos.

La realidad es que el mundo está lleno de gente muy talentosa y con habilidades magníficas que ni siquiera alcanzamos a imaginar, de proyectos interesantes que pueden contribuir a cambiar este mundo si llegan a los oídos correctos, de artistas, empresarios, escritores, músicos, y todo tipo de personas innovadoras; que el mundo necesita conocer, pero que no son escuchados porque no saben comunicarse, presentarse ante los demás o mostrar todo lo que tienen para ofrecer.

Ahí es donde mi profesión es importante: los asesores de imagen somos los encargados de traer a esas personas a la luz del día y de ser los mediadores que los ayudan a enviar su mensaje hacia aquellos que pueden apoyarlos o hacia el público. Somos como mineros que excavan para desenterrar piedras preciosas. Nuestra misión es ayudar, conectar, traer al mundo esa sinergia y esa armonía que solo puede generar la acción de situar a las personas correctas en los lugares correctos para evitar que grandes voces se pierdan solo por no saber comunicar adecuadamente un mensaje.

Mi trabajo desde entonces sería ver lo que otros no pudieran ver y reconocer la belleza y el talento en las personas, tal y como mi vecino solía hacer con sus serpientes; pero en este caso, claro está, con seres humanos.

En ese entonces apenas iniciaba un camino en el que ya no era Dorothy. Me convertí en la Bruja Buena del Norte y su lema aún resume en gran parte lo que hago día a día y lo que intento decir, así sea en palabras menos poéticas, a todos y cada uno de los clientes que me buscan:

Extrae de tu interior todos los valores que buscas. Los valores están dentro de ti, solo es preciso que fluyan.

Y así es. Esos valores, esas cualidades internas preciosas que todos tenemos, son lo que busco que mis clientes encuentren, así como la forma de mostrarlas al mundo y brillar con su luz propia; no con una luz artificial, no con estrategias de mercadeo, sino con la propia luz y la autenticidad que solo requiere ser mostrada y comunicada correctamente ante aquellos que necesitan verla. La verdad que muchos saben y a la vez no toman en cuenta es que la comunicación no es una entrega de un solo lado, sino un intercambio que requiere tanto del emisor como del receptor, al cual debes conocer y a quien debes saber entregar tu mensaje dependiendo de quién sea y cómo sea. Esto es tan simple como afirmar que no puedes llegar a Japón a hablarle a todo el mundo en ruso porque no te van a entender nada.

Podría decirse que somos como embajadores de mensajes, de sueños, de talentos y de personas. En eso decidí convertirme y fue la mejor decisión que pude tomar en toda mi vida, pues al encontrar mi camino y seguirlo he podido ayudar a otros a encontrar el suyo, muchos de ellos personas maravillosas.

Capítulo 9

Fracaso y palabras

Al regresar de Australia pude encaminarme en mi trabajo y ahorrar algo de dinero.

Sabía por mi carrera que el valor del dinero que no se pone a producir disminuye por la inflación; así que, empoderada, valiente y, sobre todo, confiada, me decidí a poner un negocio: un restaurante de comida típica.

Siempre he amado la comida, hasta el día de hoy aún amo cocinar y encuentro gracia y elegancia en combinar sabores, probar ingredientes y hacer felices a aquellos que comen lo que tú preparas. Aunque no heredé de mis padres el don de la cocina, ya que ellos se dedicaban a otras cosas, pude encontrar el sabor criollo y mezclarlo con sabores del mundo, gracias a amigos y otras personas conocidas a lo largo de mi vida.

Poner un restaurante típico era una idea interesante. Me costaría una gran inversión de dinero, pero encontré un socio que apoyó mi idea y se embarcó conmigo en el camino del emprendimiento. Buscamos un local, encontramos un chef que nos gustó a ambos, contratamos a todo el *staff*, diseñamos logotipos, adecuamos el lugar, nos registramos en cámara de comercio y abrimos las puertas del negocio; sólo entonces me di cuenta, ya demasiado tarde para mí, que mi socio no estaba dispuesto a poner su dinero y que se echaría para atrás cuando yo ya estaba hasta el cuello de responsabilidades con el negocio.

Él simplemente se retiró, desapareció, y me dejó con toda la carga no solo del negocio, sino también de nuevas responsabilidades financieras que yo no podía afrontar sola.

Al final, me vi obligada a cerrar el restaurante y a perder el dinero que tanto me había costado ahorrar. Me sentí tan desesperanzada y decepcionada de la gente que me costaba trabajo levantarme todos los días.

Supongo que con esta experiencia aprendí a no ser tan confiada y a valorar más las cosas que tengo, a no jugármelas tan fácil. Además, descubrí lo importante que es ser una persona de palabra.

Nuestra palabra es nuestra identidad frente a los demás. Todo lo que sale de tu boca te representa y te convierte en lo que eres.

Puedes hacer daño, puedes hacer el bien, y te puedes convertir en un fantasma cuando tu palabra difiere de lo que realmente eres, es decir cuando mientes.

Desde entonces me prometí no dar mi palabra a nadie a la ligera, sino solamente cuando estuviera segura de cumplirla a cabalidad, pues, ¿cuánto vale la palabra de alguien que no cumple lo que dice, así sean cosas pequeñas?, ¿y cuánto puedes confiar o qué puedes decir realmente de una persona que no tiene palabra?

Así, decepcionada y bautizada con mi más reciente fracaso, llegué a la charla en la que conocí a Mateo y tras la cual resulté tomando un café con aquel hombre inteligente y algo robótico, pensando que yo no era lo bastante interesante y que me faltaba mucho por aprender. Lo que no sabía entonces era que no conectamos con otros seres humanos siendo perfectos o logrando grandes cosas a la primera. No. Son nuestros fracasos, nuestros desafíos y las situaciones difíciles las que realmente nos conectan con los demás.

Continué tomando café.

Capítulo 10

Mateo

Mateo no era como ninguno de los hombres en los que me había interesado antes. Tato era un niño asustado que jugaba a ser un hombre, que intentaba reforzar su autoestima a través de las mujeres. La chica con la que me engañó lo dejó poco tiempo después.

Mi profesor, en cambio, era el fantasma de un hombre perfecto, el ideal de todo aquello que me gustaba, pero un hombre atrapado en el reino de la fantasía, quizás creado por mi propia imaginación ya que jamás lo conocí ni lo conocería en otro contexto. ¿Cuáles eran sus defectos? ¿Cómo se veía cuando bebía? ¿Sufría alguna enfermedad o alergia? ¿Qué le gustaba comer? ¿Le gustaban los perros o los gatos? ¿Tenía hijos?

Dentro de mi mente, pensaba: "Perfeccionismo, guapo, no, lo mismo que a mí, ambos, y no tenía hijos porque nunca había llegado a él la mujer ideal…", pero todo esto me lo había inventado yo. Mi profesor, del que yo estaba enamorada, no era una persona real. Mi profesor, el de la universidad, era un ente distinto al de mi imaginación.

Mateo no era un niño idiota, ni un hombre perfecto e ideal. Si pudiera definir cómo era cuando lo conocí diría que, bajo su exterior organizado y robótico, era una persona real, y me sentía identificada con él.

Mateo tenía hambre de aprender, de salir adelante y ser reconocido, de convertirse en alguien mucho más allá de sus posibilidades. Yo lo veía como un hombre brillante que resplandecía con luz propia después de haber crecido en la oscuridad de una familia adoptiva; negligente y abusiva.

Su madre biológica había fallecido cuando él tenía apenas cinco años y, por eso, Mateo creció en casa de su tía, quien abandonó el hogar pocos años más tarde para irse con un hombre, y dejó a su sobrino con un tío que lo maltrataba y una abuela a la que no le importaba lo que pasara con él. Así, Mateo se había marchado de casa desde los quince años, como un niño obligado a crecer demasiado rápido.

Siempre me pregunté cómo un alma tan bonita había sobrevivido a tanto, y todo lo que podía pensar era que esa sonrisa hermosa que él tenía y que era capaz de iluminar el mundo entero a su alrededor era un milagro del universo, algo ante lo cual maravillarse.

¿Cómo podría resistirme a esa sonrisa que era como el oro, pues había sido sometida al fuego del dolor durante años y, en lugar de deshacerse, se había purificado a tal punto de ser capaz de transformar la realidad a su alrededor?

Entonces yo no sabía nada de eso. Poco a poco iría aprendiendo más sobre Mateo, pero en aquella primera cita, en aquel café, me enamoré de esa sonrisa tan diciente, tan poderosa para eliminar el dolor y las preocupaciones dentro de mi corazón.

...

—¿Por qué traes esa cara? —preguntó Marcela, suspicaz—. ¿Qué tal estuvo el seminario?

—Capacitación —la corregí—. Y estuvo bien. Hablaron sobre usar las derrotas para hacernos más fuertes. Nada del otro mundo.

Me senté en el sofá del apartamento en el que vivíamos. Estaba en una nueva fase de mi vida: la de jugar a ser adultos.

Compartía con Marcela, Miguel y Pepe un apartamento del centro, y teníamos a un enorme labrador chocolate, el mismo que mis padres me habían regalado al cumplir quince años y del que me rehusaba a separarme. Éramos, como en la clásica comedia de situaciones noventera, un grupo de amigos que no sabían qué hacer con sus vidas: Pepe seguía siendo el más divertido, el mujeriego con una vida desordenada y que en el fondo tenía un gran corazón, usualmente opacado por las tonterías que salían por su boca a cada segundo; Miguel era el tipo fuerte y guapetón que saldría en los *posters* y publicidades de nuestra *sitcom*, mostrando sus abdominales o sus bíceps, ahora mucho más desarrollados que en sus años de universitario. Marcela era la mujer seria y algo huraña, como La Malvada Bruja del Oeste, que vestía de negro y daba los mejores consejos, además de tener un tercer ojo que percibía todo lo que nos pasaba a los demás:

—¿Conociste a alguien? —preguntó justamente, tumbándose a mi lado y encendiendo la televisión. Estaban pasando *Seinfeld*.

Me sobresalté.

—¿CÓMO LO HACES? —le pregunté.

Se encogió de hombros.

—Tu cara —dijo.

Sentí que el calor emanaba de mis mejillas.

—No es nada, de verdad —respondí, apenada.

—¿Pero podría ser algo? —preguntó ella.

Sí. Podría ser algo. Toda la semana estuve flotando en una nube, sonriendo como una niña pequeña en Navidad. No me había sentido así en muchos años: nerviosa, contenta, impaciente por recibir una llamada suya, un mensaje; por tener una próxima cita. Mi vida amorosa había estado tan apagada en los últimos años que había olvidado lo que era ilusionarse, pensar en alguien, estar atenta a cada uno de sus detalles.

La pasábamos muy bien juntos: nos reíamos a carcajadas, salíamos a bailar solos o en grupo, a comer o a ver películas; éramos amigos, cómplices, coqueteábamos el uno con el otro y, poco a poco, esto se convertía en una relación diferente a un noviazgo: éramos dependientes, especialmente él de mí, pues todo el tiempo necesitaba saber dónde estaba yo, si estaba bien, si podía ayudarme en algo.

Yo no solo estaba bien. Era la mejor época de mi vida: tenía a mi lado al hombre de mis sueños; y mis primeros contratos como asesora de imagen empezaron a llegar.

Capítulo 11

Banderillas rojas

¿Qué me atrajo tanto de Mateo?

En un principio su sonrisa, su forma de tratarme y su caballerosidad. En cada cita siempre me abría la puerta, movía mi silla para que me sentara, y me miraba atentamente cuando me hablaba. Era la encarnación del galán perfecto y soñado que toda chica de mi edad podría desear.

Mateo había tenido una infancia difícil, esto lo supe desde el principio, pero esa era su forma de encontrar conexión con los demás, a pesar de su dolor, de sus ausencias.

A los ojos de una chica joven, como yo lo era en ese entonces, él era todo lo que podría pedirle a la vida. Era un hombre guapo y atento que me quería.

A los ojos de una mujer que ve las cosas en retrospectiva, con objetividad y madurez, las banderillas rojas que predecían un futuro lleno de dolor estuvieron allí todo el tiempo, pero yo, la chica joven de entonces, preferí ignorarlas y vivir el cuento de hadas. Lo idealicé tal y como hice con mi profesor, tal y como lo había hecho con Tato.

Recuerdo una calurosa tarde de verano en la que Mateo y yo caminábamos por las calles del viejo San Juan. Era fin de semana y el centro estaba lleno de familias y turistas.

Un grupo de jovencitas ruidosas venía caminando en dirección opuesta. Una de ellas tendría unos veinticinco años. Su risa era contagiosa, su andar, despreocupado. Las mejillas redondas complementaban sus facciones y su figura voluptuosa. Era una hermosa joven disfrutando la tarde con sus amigas, gozando del calor, con sus pantalones cortos y su blusa escotada de una manera espectacular. Ser mujer no me impedía apreciar su belleza y su actitud, pero cuando miré a Mateo, fue su reacción la que me impresionó.

No dijo nada. En realidad, no hizo nada, pero su cara se transformó por completo. Sus gestos dejaron ver un profundo desagrado. Sus labios se torcieron en una mueca de repulsión, mientras miraba de arriba a abajo a la joven, evaluando cada parte de su cuerpo, de su atuendo y su actitud, a los que encontró defectuosos y errados. La joven lo miró de reojo. De alguna manera, su ruidosa risa se apagó un poco, sus hombros se encorvaron, pero siguió el camino con las amigas, algo apenada.

Nosotros continuamos sin dar importancia al asunto.

La segunda banderilla que debí notar llegó unas semanas después.

Estábamos en un restaurante, esperando en nuestra mesa. La camarera se presentó, nos dio los menús y volvió unos minutos después para servirnos agua y tomar nuestra orden. Yo pedí una pasta, Mateo pidió un filete, y decidió que cada uno tomara una copa de vino tinto con la comida. Poco antes de terminar la cena, la camarera retiró mi plato ya vacío, con la poca fortuna de que tocó mi copa aún con vino y este se derramó por toda la mesa, y unas cuantas gotas cayeron sobre el pantalón de Mateo.

—¡Qué imbécil! —Mateó soltó con furia su servilleta sobre la mesa y se levantó apresuradamente tratando de alejarse lo más posible del delgado chorro de vino que terminaba de gotear.

—¡Lo siento, señor! —dijo la camarera, apenada, tratando de limpiar la mesa con las servilletas y derribando otra silla en el proceso.

—¡Gracias por arruinar la noche con su incompetencia! ¿Sabe cuánto cobran aquí para que usted venga y arruine todo? ¡Lo mínimo que debería hacer es no cobrarnos la comida!

—Oye, no. ¡Espera, por favor! —intenté decirle, pues la mesera estaba a punto de romper a llorar; pero él no me escuchó.

—Señor, no se preocupe —dijo ella.

—¿Que no me preocupe? ¿No ve que estoy cubierto de vino?

—Mateo, tranquilo, mira que no fue mucho. Tu pantalón es oscuro y casi no se nota —intenté conciliar. La mitad del restaurante nos estaba mirando y la otra mitad intentaba ignorar nuestro escándalo.

Lo que arruinó la noche no fue el vino ni la mesera, sino la vergüenza.

—La gente tiene que aprender a hacer bien su trabajo o mejor que se consiga otro. No puede andar haciendo mal a los clientes y luego tratar de ignorar el problema. A ti no te pasó nada, pero te quedaste sin vino, y de seguro que nos lo cobran también. Dígame, ¿va a hacer bien su trabajo y le va a traer a mi novia otra copa de vino para reponer la que usted derramó?

—No hay problema, señor, yo le traigo otra. Permítame, retiro lo que se ha mojado —La joven movía frenéticamente un trapo tratando de secar el líquido rojo, y retiró los platos y los cubiertos. Otro camarero se acercó para ayudarle a sustituir el mantel por uno limpio.

75

—Finalmente alguien que sí sabe hacer su trabajo —murmuró Mateo cuando el nuevo camarero puso con rapidez el mantel limpio sobre la mesa.

La joven trajo otra copa de vino. Aún tenía sus mejillas rojas por la vergüenza y poco nos miraba. Mateo aprovechó la situación para mencionar justamente que a las personas inútiles les es más difícil conseguir y mantener sus trabajos, y por lo general terminan como camareras baratas.

Pude ver cómo a la joven finalmente se le escaparon un par de lágrimas y se retiró de inmediato. No pude tomarme el vino.

Su compañero nos trajo la cuenta. Quise disculparme con ella, pero no la vi.

A la salida confronté a Mateo.

—Fuiste un poco duro con ella, solo fue un accidente tonto. Esas cosas siempre pasan. ¿No te parece que exageraste?

—Lo siento, cariño. Sabes que ha sido una semana dura para mí. Lo sé, me desesperé un poco, pero ya pasó. No lo volveré a hacer, solo fue el calor del momento. Sabes que yo no soy así.

—Sí, fue extraño verte así. Lo sé, no ha sido tu mejor semana, tu jefe ha sido exigente.

—Eso es lo que me tiene estresado, pero bueno, las cosas son como son para mí. No tengo una carrera como tú.

Esta última también era una banderilla. Le encantaba lanzar comentarios como ese, comparándose conmigo y señalando lo fácil que había sido mi vida. No me gustaba que quisiera competir conmigo cuando se suponía que éramos un equipo.

La última banderilla roja que debí notar vino unos meses antes de que me propusiera matrimonio. Esta no se presentó una sola vez sino muchas.

Mateo tenía un auto, no era un último modelo, era un Chevrolet Malibú del 79. El padre de un amigo se lo había dejado económico para que se pudiera mover por la ciudad. Obviamente el auto ya había pasado por su mejor época y le daba más problemas que los que le solucionaba. Cada vez que comenzaba a hacer sonidos extraños Mateo se disgustaba. Recuerdo claramente que ese día no prendía bien, para hacerlo yo tenía que subirme en el asiento del conductor, ponerlo en segunda y tratar de prenderlo mientras le bombeaba gasolina apretando el acelerador. Afuera, Mateo lo empujaba para que pudiera arrancar. Cuando finalmente arrancó, se subió, y yo me senté en el asiento del pasajero. Entonces, Mateo comenzó a darme una larga charla sobre los problemas que presentaba su auto versus las múltiples funcionalidades y la practicidad que tenía la camioneta de doble cabina último modelo del momento.

—Este auto es una basura. Normalmente todas las cosas tienen fecha de caducidad y este ya la tuvo hace mucho. He ahorrado algo. En cuanto me paguen mi próximo salario podré ir al concesionario y comprar la nueva 4x4, esa sí es una camioneta de verdad. Es el auto que me merezco para llevarte por todo San Juan como la reina que eres.

Sabía que eso no sería posible, no con lo que él ganaba, pero no se lo iba a mencionar.

—Amor, qué buena idea, y de pronto te aceptan este auto como parte de pago o lo puedes vender para piezas.

—¿Vender? —su interrupción me tomó por sorpresa—. Nadie compraría esta basura, solo un idiota lo haría. Esta chatarra se va directo al basurero, a que la trituren y la dejen como la porquería que es.

Me sentí mal por el auto. No estaba bien tratarlo así cuando era el único vehículo con el que él contaba en el momento.

—Pero, nos ha servido, hay que reconocerle eso.

—Es una cosa inservible, realmente no hay que reconocerle nada.

Me molestó su actitud, pero no pensé más en ello. La verdad el auto pedía jubilación hacía tiempo. Pero esa misma displicencia hacia las cosas que Mateo sentía que ya no servían o que demostraban que no eran lo más nuevo siempre se repetía en pequeñas cantidades. Lo había hecho cuando a su reloj se le había acabado la pila, y lo hizo cuando su suéter favorito se rompió.

También me disgustaba el desprecio que sentía hacia sus propias cosas: según él, su ropa era la peor, su carro era el peor, su apartamento era el peor, su familia era la peor, y todo lo que él conseguía era lo peor. Le gustaba sentirse una víctima de la vida, de los demás, un despreciado del universo. Se regodeaba en la envidia y el resentimiento hacia los otros, y en tomar una posición de héroe marginado y hacerse el pobrecito denigrando todo lo que tenía.

Esta banderilla roja era la más peligrosa de todas. Si algún día me convertía en su esposa, automáticamente yo iba a ser lo peor para que él pudiera despreciarme y envidiar a las esposas de otros; y si establecía una familia con él, esta iba a ser la peor para que él pudiera ser el hombre sufrido e incomprendido que se había acostumbrado a ser.

Cuando lo escuchaba quejarse, intentaba mostrarle que las cosas no eran así y que él no estaba solo. En ocasiones, le apoyaba comprando un pantalón o una camisa, llevando su reloj a la relojería o ayudándole a decorar su apartamento. Eran cosas mínimas que podía hacer por él. No me molestaban, no interferían en mis actividades diarias y me hacían sentir útil, pues realmente estaba ayudando a mi novio. Éramos un equipo buscando triunfar juntos y si deseábamos lograrlo teníamos que vernos como la pareja que queríamos ser.

Supuse entonces que todas las personas tenían defectos y que se está en pareja para ayudarse mutuamente y superarse. Yo no abandonaría a Mateo así hubiera cosas de él que no me gustaban o me hacían sentir mal. En vez de eso lo ayudaría a ser una mejor persona a través de mi amor.

Me duele decirlo, pero quizás yo también estaba jugando al héroe marginado, que es uno de los errores de mi vida que no repetiría nunca más, pues el héroe marginado tiene un componente mezquino que consiste en no apreciar lo que tiene a su alrededor.

Capítulo 12

Un nuevo amigo

Pocas veces nos damos cuenta de cuando a nuestra vida llegan las personas que marcarán una diferencia. Todas dejan una huella, solo que algunas dejan una huella imborrable y otras una pasajera. El día en que conocí a Michael lo último en que estaba pensando era en llegar a conocer a alguien importante para mí.

Mi labrador chocolate, Dash, mi compañero desde la adolescencia, se comportaba de forma extraña. Yo no entendía qué le pasaba; de un momento a otro había dejado de comer. Su respiración se había hecho más pesada y poco se levantaba de su rincón favorito en la sala. Salí corriendo al veterinario con Dash. Siempre lo había llevado a una clínica cercana de la casa de mis padres; pero, para mi sorpresa, esta vez no encontré al doctor Sánchez, que lo había tratado desde siempre. La clínica había sido vendida a un nuevo propietario más joven, cuyo nombre era Michael.

Michael era un médico estupendo. Trató a Dash con todo el cuidado del caso, le tomó exámenes y determinó que estaba enfermo de varias cosas debido al sobrepeso. El camino para recuperarse no sería fácil y era probable que viviese con medicamentos por lo que le quedara de vida. Por esa misma razón tenía que llevarlo de forma periódica para seguir controlando sus dolencias.

Michael, como persona, era aún más increíble. Se había graduado de veterinaria a los veinticuatro años y desde entonces había seguido estudiando hasta construir su propio nombre como uno de los mejores veterinarios de San Juan. Compró la clínica para poder atender más animales. En ese momento él tenía casi diez años más que yo, pero su pasión por su profesión y la manera en que trataba a todos sus pacientes y a los dueños de sus pacientes me hizo sentir un cariño y respeto grande por él.

—Ya está amigo, yo sé que te duele, pero es solo un momento. Necesitamos saber cómo sigue esa infección —le decía pacientemente a Dash mientras le tomaba la temperatura, varias citas más adelante. Todo aquel que ha tenido una mascota sabe que el procedimiento no es nada agradable, y Dash trataba de saltar de la mesa de examen—. Ya está, ¿sí ves? Es molesto, pero no dura mucho. Afortunadamente ya no tiene fiebre —dijo mirándome con una gran sonrisa de alivio en su rostro—. La infección ya se ha ido, podemos retirarle el antibiótico una vez complete la dosis que le he mandado. Seguirá con el analgésico y la insulina, pero eso es un gran avance.

—Gracias, doctor. Realmente todo esto ha sido una locura. Tener que darle tantos medicamentos ha sido algo difícil, pero por mi Dash yo hago lo que sea. Es muy amable al tenerle tanta paciencia.

—No, nada de eso, Valentina. Me encanta poder tratarlo, además es un abuelito lo más cariñoso. ¿Cierto, campeón? —le dijo mientras le rascaba detrás de las orejas. Claramente Dash aún estaba desconfiado del hombre, pero no le diría no a una buena rascada.

Para la cuarta consulta ya se había establecido una excelente relación paciente/doctor con Michael. Él se aseguraba de hacer sentir cómodo a mi perro y, de paso, me hacía sentir cómoda a mí. Me contaba sobre su trabajo y me preguntaba sobre el mío. Sus anécdotas eran graciosas, su ser irradiaba paz. Me agradaba estar cerca de él.

—Entonces, abuelo Dash, te veré en quince días como de costumbre —le dijo dándole alegres palmaditas en su costado—. Eso es todo por hoy Valentina. Recuerda sacarlo a dar largos paseos sin apresurarlo; pero que haga ejercicio, así podrá bajar un par de kilos, lo que le aliviará mucho las articulaciones en sus patas.

—Gracias, Doctor, lo haré.

—Oh, por favor, puedes llamarme Michael.

—Gracias, Michael.

Pagué la cita de ese día y agendé la siguiente. Le habían tomado un examen a Dash. Si el resultado era positivo esa sería la última vez que tendríamos que venir. Seguiría tomando medicamentos, pero los controles no serían tan frecuentes.

Salí del consultorio y Michael me siguió. Seguramente Dash sería su último paciente del día. Estaba feliz, era un alivio para Dash y para mi bolsillo que el tratamiento estuviese funcionando.

—Gracias por todo, nos vemos en 15 días doctor, digo, Michael.

Él rio.

—Me preguntaba si te gustaría salir a tomar un café. Hay una muy buena cafetería cerca. ¿Qué dices?

—Uh, yo…

—Vale, entenderé si dices que no —Su sonrisa era genuina, se reflejaba en sus ojos y en todo el rostro—; o tal vez otro día. Sinceramente me gustaría saber más sobre ti y tu trabajo. Lo que me contaste el otro día sobre la asesoría de imagen me dejó intrigado.

—¡Oh!, sí. Lo siento, hoy he quedado de comer con mi amiga, así que no puedo, pero tal vez otro día.

—¿Cuándo tienes tiempo?

—¿Qué te parece mañana a esta misma hora?

—Hecho. Te veré mañana.

Así, hablando de trabajo, de intereses, de sueños y de metas, empezamos a acercarnos. Disfrutar de su compañía era fácil. Me hacía sentir cómoda. Era obvio que yo le agradaba, pero no trataba de imponerse de manera fuerte. Me daba mi espacio, me hacía sentir valiosa, como una persona interesante con la cual vale la pena pasar tiempo. La única contradicción era que yo estaba completamente enamorada de Mateo. Alentar una relación con Michael sería algo totalmente erróneo, no quería que Mateo pasara por lo mismo que Tato me había hecho a mí. Si soy honesta, mis sentimientos por Michael eran tímidos, siempre enmascarados bajo una relación de amistad. En el fondo sentía el debate de mi cabeza mostrándome dos caminos a elegir, pero mi corazón me decía que sería desleal pensar siquiera en eso, en la posibilidad de sentirme atraída por Michael. Por eso me convencí a mí misma de que Michael sería solo un amigo, pues mis sentimientos ya tenían dueño y yo sería leal a ellos.

Capítulo 13

Infelicidad

"¿Qué es la felicidad? ¿Por qué a los seres humanos nos cuesta tanto ser felices?", eso fue lo que me pregunté una noche tras llegar a mi casa de una cita con Mateo y encontrar a Pepe llorando en el hombro de Marcela. Olía a whiskey y cigarrillos, y sonaba música de despecho. Supe que era grave, porque Marcela no soportaba el olor a cigarrillos; así que dejé mi cartera colgada al respaldo de una silla y corrí a sentarme junto a ellos.

—¿Qué te pasó? —pregunté tocando su hombro—. ¿Estás bien?

—Terminó con Luciana —informó Marcela, abrazándolo con fuerza.

Se suponía que eso me tomara por sorpresa, pero Pepe salía con una y con otra, tenía novias, terminaba, conseguía más, y llevaba una vida sentimental tan activa que me hacía parecer una monja de convento. ¿Qué importaba si había terminado con Luciana? ¿Por qué había una gran conmoción al respecto?

Miguel, cuya presencia yo no había notado hasta el momento, me miró desde la otra silla imaginando lo que yo pensaba, y dijo:

—No todos los golpes de la vida duelen igual.

Sí. Eso era cierto. Años atrás me había parecido una tragedia que Tato me engañara, pero hoy en día lo consideraba una tontería, y me dolía mucho más que el maldito del restaurante me hubiera hecho perder dinero.

—¡Qué maldita! Pero no la necesitas, Pepe, nos tienes a nosotros —le dije, intentando ser una buena amiga, pero él se separó de Marcela y negó con la cabeza.

—Ella era perfecta para mí, Vale, ella es tan dulce, tan noble, tan divertida; ella me hacía ser una mejor persona.

—¿Por qué te dejó? —le pregunté.

Pepe negó con la cabeza de nuevo.

—No me dejó. Yo la dejé.

Eso me sorprendió. Usualmente, eran las mujeres las que dejaban a Pepe y, cuando él era quien cortaba con ellas, solía ser porque ya tenía a otra persona y estaba decidido a cambiar de pareja.

—¿Qué te hizo, Pepe? ¿Estás bien?

Antes de responder tomó un largo chorro de *whiskey*.

—Ser buena conmigo, eso fue lo que me hizo.

Instintivamente, miré a Miguel, que se encogió de hombros. Estaba tan confundido como yo, pero Marcela no nos miraba. Ella sí parecía entender lo que estaba pasando. Hubiera querido que me explicara para saber qué decirle a Pepe. Jamás lo había visto tan devastado.

—Lo que hizo fue ser hermosa, más hermosa que cualquier otra mujer con la que hubiera salido: inteligente, capaz, noble, tanto que tenía que dejarla... Tuve que terminar las cosas, Vale. La dejé porque ella merece algo mejor que yo.

—¿Qué tiene de malo que sea tan hermosa y tenga tantas cualidades, Pepe? Tú también vales mucho y mereces a alguien que...

—Vale —me interrumpió—, ¿alguna vez sentiste que nada en la vida podía hacerte feliz, y que pasara lo que pasara, así estuvieras con la persona ideal para ti, la infelicidad vendría contigo?

Miré la botella. ¿Qué le pasaba a Pepe? ¿En qué estaba pensando? Para mí, la vida entonces era color de rosa, y quizás siempre lo había sido. El amor de Mateo era solo la cereza para poner encima del postre. La vida estaba llena de retos: había tenido que esforzarme mucho en el estudio, me habían robado mi dinero, y no había sido especialmente afortunada en el amor hasta hacía muy poco, pero estaba viva y tenía familia, y creía firmemente que todo dependía de mis esfuerzos y mi actitud cada día.

—¿No eras feliz con Luciana? —le pregunté.

Él negó con la cabeza.

—Vale, nunca he sido feliz con nadie — confesó.

Tenía sentido. A lo mejor por eso cambiaba de pareja como cambiar de medias. Si analizaba a Pepe, podía concluir que siempre había algo que le disgustaba de cada pareja, algo que según él le faltaba a la otra persona: dejó a Paula para salir con Elena, que era más alta; y cambió a Elena por Claudia porque tenía más tetas, pero a ella no le gustaba bailar y a Diana sí; aunque Diana no entendía sus chistes como sí lo hacía Linda. Era una cadena interminable de relaciones fallidas en las que siempre aparecía alguien mejor al anterior quien, desde un punto de vista objetivo, no era mejor en realidad, sino que se ajustaba más a un capricho momentáneo que quizás, solo quizás, tuviera una razón de fondo.

Pensé en conocidos y amigos y noté, con cierto escalofrío, que Pepe no era el único que seguía un patrón tan nocivo: se trataba de algo muy común en la gente de mi edad. ¿Qué era lo que pasaba? ¿Buscábamos una inalcanzable perfección en nuestras parejas? ¿Poníamos semejante carga en los hombros de los desafortunados desconocidos que salían con cada uno de nosotros?

Si así era, todos estábamos enfermos. Era urgente que nuestra sociedad reevaluara lo que pensábamos acerca del amor y las relaciones.

Aun así, Pepe no había dejado a Luciana por los mismos motivos sin sentido que a todas sus parejas anteriores, y ahora estaba más afectado de lo que jamás lo había visto.

—Pepe, ¿qué te llevó a tomar esta decisión?

Seguía bebiendo de forma desmedida, y se le notaba cada vez más en su voz.

—Vives toda tu vida buscando a la persona perfecta, esperando, soñando con ella, ¿y qué pasa cuando la encuentras y sigues siendo igual de infeliz? ¿Qué haces entonces si la medicina que cura todos los males no pudo curar el tuyo, y entiendes que estás dañado y que no tienes arreglo, que jamás podrás ser feliz porque todo lo que has creído hasta ahora no es más que una farsa? ¿Qué haces si entiendes que te odias tanto en el fondo que no te deseas la felicidad, que no te la permites y por eso tienes la necesidad compulsiva de destruirla y bloquearla fuera de tu vida?

Lo abracé con fuerza. Miguel se sirvió whiskey y levantó su copa mirando a Pepe fijamente:

—¡Por la infelicidad! ¡Salud! —dijo, brindando—. ¿A quién le importa ser feliz, Pepe?

Y su reacción me sorprendió. Se levantó, se sirvió más *whiskey* y soltó una carcajada:

—¡Por la infelicidad, amigo!

Me alegró que Pepe se mostrara más animado de repente, aunque resultara extraño que fuera Miguel la persona que le hubiera levantado el ánimo con un comentario negativo. No obstante, así éramos las personas: conectábamos con otros a través del dolor. Quizás la búsqueda de una pareja perfecta no tuviera lógica si esta era nuestra forma de conectar; tampoco la tenía la búsqueda de la perfección en una pareja.

Yo era feliz entonces con Mateo, pero él estaba lejos de ser alguien perfecto. Era un hombre lleno de inseguridades y defectos, y, si lo pensaba bien, tenía poco en común con él, pero esas inseguridades y esos defectos eran precisamente lo que me atraía hacia él, lo que me hacía verlo como un ser humano que necesitaba de mí tanto como yo de él.

—Pepe, tú vales mucho —le dije—. Yo sé que algún día vas a encontrar lo que estás buscando.

—Pepe, yo creo que ella no era perfecta —dijo Marcela de repente—. Ella es lo que tú, en este momento, crees que es perfecto para ti, pero no me parece que sea lo que de verdad necesitas. Quizá tú mismo no lo sabes, pero se trata de descubrirlo, y estaremos contigo siempre, apoyándote.

—Contigo hasta la muerte, Pepe. Hay más peces en el mar — dijo Miguel.

Hubo un breve abrazo grupal, pero yo seguía preocupada por Pepe. Sentía que había algo que él no nos estaba diciendo: algo importante.

Capítulo 14
Bifurcación

Los meses pasaron y la situación económica de Mateo no había mejorado. Ahora tenía un trabajo como asistente en una oficina, lo que le garantizaba el suficiente dinero para pagar renta y comprar comida, pero no le daba para nada más. En cambio, mi situación iba progresando. Cada vez me salían más clientes; sobre todo pequeñas empresas que deseaban mejorar su imagen para atraer al público y ser más competitivas en el mercado. Era un buen flujo de dinero que me permitía vivir tranquila.

Un día de mayo Mateo decidió invitarme a un picnic. Iríamos al Parque Jaime Benítez. El plan simplemente era admirar el atardecer en una de sus zonas verdes mientras comíamos un par de sándwiches acompañados por nuestros helados favoritos, y unos jugos que compraríamos en un puesto callejero cerca del parque, nada extravagante.

—Sentémonos aquí —dijo Mateo soltando la neverita portátil con la comida, al llegar a un punto del parque en el que se podía apreciar la Laguna del Condado. El sol de la tarde le daba un resplandor naranja al agua, el clima era perfecto.

—Sí, está bello el sitio —dije justamente mientras extendía el mantel amarillo que había llevado para no sentarnos directamente en el césped.

Comimos nuestros sándwiches en silencio, contemplando el agua. Una gruesa gota de sudor bajaba por la frente de Mateo. Sacó su pañuelo y se disculpó.

—Hace algo de calor —dijo tomando un trago largo de su jugo.

—Algo, pero la brisa está bastante fresca.

—Sí. Eso —dijo, distraído, mientras abría y cerraba la boca como si quisiera decir algo, pero no pudiera.

Cuando terminamos los sándwiches le pedí que me pasara mi helado. Para mi sorpresa este venía con un moño en cinta roja satinada del cual colgaba un aro dorado, con una única piedra roja en el centro. Sencillo, pero elegante.

—Espera, esto es…

Levanté la mirada y encontré frente a mí a un muy nervioso Mateo sobre una rodilla y sosteniendo una rosa.

—Valentina, desde que te conocí supe que serías mi destino. Te necesito y sé que no podré vivir ni un solo día sin ti a mi lado. ¿Me harías el honor de convertirte en mi esposa y quedarte conmigo por el resto de tu vida?

Pasaron dos segundos que se sintieron como horas. Yo estaba sorprendida y emocionada; tanto, que no encontraba mi propia voz. La cara de Mateo empezaba a reflejar preocupación. Notaba cómo pasaba saliva con dificultad mientras esperaba mi respuesta.

—Sí, ¡claro que sí quiero ser tu esposa! —Mateo cerró los ojos, soltó la respiración con un sonido de grato alivio y sus labios dibujaron esa sonrisa tan hermosa que tanto me enloquecía.

—Me alegro, porque no sé qué hubiese hecho si me decías que no, además que empeñé hasta la camisa para sacar el anillo.

Reímos, nos besamos y terminamos la tarde tal y como lo habíamos planeado. Estaba emocionada.

Al llegar a casa, Marcela estaba preparando la cena, Miguel tomaba una cerveza en el comedor y Pepe no había llegado aún. Dash salió a saludarme y solté un grito de alegría mientras lo abrazaba.

—¡Guau! ¿Qué ha pasado? —preguntó Marcela asomándose por la puerta de la cocina. Yo caminé hacia el comedor de manera teatral, puse mi mano sobre el respaldo de una silla y, con orgullo, le mostré a ambos el anillo que llevaba en la otra mano.

Miguel se quedó callado, mirando con atención mi mano, como si no estuviese procesando la información lo suficientemente rápido para entender lo que pasaba. El rostro de Marcela se iluminó inmediatamente.

—¡NO PUEDO CREERLO! —Marcela me abrazó sosteniendo todavía un cucharón; gotitas de salsa cayeron por toda la mesa—. Por fin te lo ha propuesto, pero ¿cómo? ¿cuándo?

—¡Vaya! ¡Felicidades, Vale! ¡Me alegra muchísimo por ti —finalmente Pepe había conectado los puntos y se mostraba tan emocionado como Marcela!

Se acercó y se unió al abrazo.

—Hoy en la tarde. Fue todo muy lindo. Estuvimos en el parque y allí me lo propuso. Hasta se arrodilló frente a mí. ¿No es lo más romántico?

—Bueno, no es el plan más elaborado, pero tiene su encanto —dijo Marcela soltando el abrazo.

De inmediato llamé a mi madre. Debía compartir la noticia. Lo había logrado: tenía una carrera, una familia, unos amigos y un prometido. Estaba cumpliendo el sueño femenino tal y como se me había enseñado. El siguiente paso sería casarnos y después vendrían los hijos.

En éxtasis, empecé a planear todos los detalles de la boda casi de inmediato. Marcela, como siempre, se convirtió en mi mano derecha. Mateo me dejaba planear todo a mi gusto. Al fin y al cabo, yo era la novia y, por eso, él solo intervino en la elección del sabor del pastel. El resto corrió por mi cuenta de acuerdo a lo que yo siempre había soñado para mi gran día.

Era sábado, faltaban dos meses para la boda y aún había muchas cosas por hacer: tenía que elegir las flores, enviar las invitaciones, escribir una propuesta de trabajo para un nuevo proyecto en el que quería participar, y llevar a Dash a su control con Michael. Marcela me acompañaría. Yo era un manojo de nervios por esos días y ella era prácticamente mi lazarillo.

Entramos a consulta con Dash. Mientras Michael le hacía el examen empecé a conversar con Marcela.

—Aunque ya vi el catálogo para el papel de las invitaciones de boda, no me convence nada. Por eso te pedí que vinieras. Dos cabezas piensan mejor que una.

—¿Mateo no tenía el fin de semana libre?

—Ni tanto. En su trabajo lo explotan, tú sabes.

—Vale, entiendo. ¿Entonces iremos primero a elegir las flores o el papel?

—El papel. La cita con el florista es más tarde, después del almuerzo.

Michael levantó la cabeza y se me quedó mirando.

—¿Quién se casa? —preguntó con una amable sonrisa.

—Yo —le dije estirando mi mano, nuevamente haciendo gala de mi anillo.

—Ya veo —su sonrisa se apagó un poco, pero siguió con su acostumbrada amabilidad—. ¡Felicidades, Vale! ¿Cuánto tiempo me dijiste que llevabas con tu novio?

—Año y medio. Ya era más que necesario que él se decidiera, ¿no te parece?

—Bueno, no lo sé, es poco tiempo para conocer a una persona. ¿Y tú estás decidida?

—¡Claro que sí! No me digas que eres de esas personas que piensan que uno debe salir diez años con alguien antes de dar el paso.

—No, para nada. Es solo que no pensaba que tuvieses planes de boda.

—¿De qué hablas?

—No es nada, es solo que no te había notado tan emocionada cuando hablabas de él como lo estás haciendo ahora hablando del papel de las invitaciones. Pero puede ser solo mi impresión.

Puse cara de pocos amigos. ¿De verdad estaba cuestionando mis decisiones? ¿Quién se creía que era?

—Perdón, tal vez no sea problema mío. En todo caso, Dash parece estar estable. ¿Cómo han estado sus mediciones de glucosa los últimos días?

—Normales.

—Bien, entonces mantengamos la dosis, no olvides que tendremos que hacerle su examen de sangre de rutina en dos meses.

Dejó que Dash se bajara de la mesa de examen.

—Bueno. Si no es más, nos veremos en dos meses, *doctor*.

La cara de Michael se veía apagada de toda expresión, y Marcela se mantenía en silencio, obviamente tratando de ignorar el incómodo momento.

—Valentina. Pensé que era tu amigo. No me malentiendas, yo no quiero cuestionar tu buen juicio, ni tus sentimientos, pero sí me gustaría que pensaras con calma las cosas por tu propio bien. ¿Realmente Mateo es el hombre con quien deseas pasar tu vida? ¿Qué tienen ustedes dos en común?

¿De dónde venía esto? Me sentí molesta de que alguien que se hacía llamar mi amigo no supiera la respuesta a una pregunta tan obvia.

—Mateo me necesita, y yo lo necesito a él.

—¿Necesitar a alguien es una buena razón para casarse?

Solté un resoplido:

—Nosotros nos amamos y por eso nos vamos a casar, no hay que pensarlo tanto. Ahora, ¿si no me caso con él, entonces con quién?

Las mejillas de Michael tomaron un leve tono rosa, miraba fijamente al piso.

—Entiendo, solo te pido que lo pienses, aún estás a tiempo. Sigo pensando que él no es tu mejor opción, y si no es él —suspiró—, habrá alguien más que sea mejor para ti. Siempre hay alguien más.

Levantó su rostro y me sostuvo la mirada. Sus ojos, habitualmente alegres, se veían tristes y preocupados.

—No tienes que preocuparte por eso. Sé lo que estoy haciendo y, de verdad, no eres quién para cuestionarme —le dije, con agresividad.

—Muchas gracias por todo, Michael. Quizás vendremos después para traerte una invitación —dijo Marcela, tomó a Dash con la correa, le dedicó una sonrisa a su médico y salió del consultorio. Yo la seguí mientras caminaba rápidamente por la calle, como si quisiera generar distancia entre nosotras y ese lugar.

—Valentina —dijo Marcela varias cuadras más adelante—. No. Te hablaré de esto más tarde porque sé que estás un poco alterada.

Era verdad. Se me había formado un nudo en el estómago. No podía hablar, no sabía si estaba terriblemente enojada o terriblemente preocupada. ¿Por qué las palabras de Michael me habían afectado tanto?

Asistimos a la cita para escoger el papel de las invitaciones, pero de repente decidir entre el papel blanco crema y el papel blanco cáscara de huevo me pareció el dilema más superficial del mundo. Marcela terminó eligiendo el color por mí. Si soy honesta no recuerdo qué color escogió, pero tampoco me importaba.

Marcela no me preguntó nada, solo cuando íbamos hacia la floristería se atrevió a hablarme.

—Sabes que le gustas, ¿verdad?

—¿A quién, a Mateo? Por supuesto que le gusto, por algo se atrevió a pedirme matrimonio.

—No te hagas. Sabes que estoy hablando de tu amigo.

—¿Michael?

—¿Cuántos amigos tuyos hemos visto hoy? Sí. Michael.

—Sí, lo sé, pero no entiendo qué propósito tiene tu pregunta en este momento —podía sentir mi propio disgusto hacia todo lo que Michael me había dicho. No comprendía de dónde venía mi ira, pero la pregunta de Marcela no ayudaba a apaciguarla.

—No te enojes conmigo, solo mencioné lo que es obvio. Ahora sí te preguntaré algo que no es tan obvio. ¿Él te gusta a ti? ¿Es algo más que un amigo, al menos un poco más?

Mi mirada lo dijo todo.

—Es solo que quiero saber por qué estás tan molesta.

—No, no me gusta. Simplemente es un amigo, el médico de Dash; y él no tenía por qué decir lo que dijo.

—¿Y qué dijo? ¿Dijo algo que no debía? Te dijo que te tomaras el tiempo de pensar bien las cosas.

—¡Por favor! ¡No vale la pena discutir esto!

—¿Estás segura?

—Sí.

—Ok, si no vale la pena, no te molestes tanto; y, si vale la pena, piénsalo y encuentra la respuesta ante lo que sea que te haya molestado.

—Ajá.

Llegamos a la floristería. El florista nos saludó alegremente y se puso de inmediato en la labor de mostrarnos tres tipos diferentes de centro de mesa con rosas color salmón. Las palabras de Marcela resonaban en mi cerebro y, de repente, la pregunta de Michael se quedó flotando sobre el tercer centro de mesa con una base cuadrada en un lindo tono dorado:

"¿Qué tienen en común?". Sus palabras resonaban en mi cabeza y hacían pequeños cortes en mi corazón:

"Él no es tu mejor opción, y si no es él habrá alguien más, siempre hay alguien más que sea mejor para ti."

¿Él quería ser mi mejor opción? ¿Y si así era, por qué lo había conocido tan tarde cuando yo ya estaba con otro hombre? Su pasión por sus pacientes y su visión de los negocios me habían inspirado a buscar más clientes y proyectos más grandes para trabajar. Sus ideales complementaban los míos de una manera especial, pero él no era mi Mateo. Mateo había llegado primero; nuestra relación ya existía cuando Michael había aparecido en mi vida.

Mateo me amaba y yo lo amaba. No coincidíamos en muchas cosas; su situación financiera no era la mejor y su personalidad a veces no era ideal, pero estaba segura de que juntos podríamos tener todo lo que soñábamos y construir una familia.

Michael se había entrometido y eso era lo que me molestaba, punto. No pensaría más en ello, elegiría el centro de mesa con base cuadrada en tono dorado y luego las flores del ramo. No tenía nada más qué pensar. Estaba planeando el día más feliz de mi vida y no dejaría que un comentario inapropiado lo opacara.

—Vale, estas flores se ven más vivas. Tal vez quieras tener unas cuantas de ellas en tu ramo, así le das más color, ¿no te parece?

—Sí, claro, muy buena idea, me gusta ese tono.

La voz de Marcela me trajo de vuelta a la realidad. Su amable disposición para ayudarme, aun con las tareas más triviales, revivió mi espíritu.

Esa tarde elegimos todas las flores para la capilla, para los centros de mesa en la recepción y para el ramo de novia. Terminé gastando un poco más para agregar dos grandes arreglos que enmarcarían la mesa de los recién casados y le darían al salón de recepción un poco más de color. Pagué por adelantado y salimos felices. De regreso a casa, Marcela pareció entender mi humor y me mantuvo ocupada hablando sobre la lista de invitados y sobre si Dash estaría en la boda.

No dormí mucho esa noche, en parte porque tenía toda una propuesta que redactar y también porque mi mente no se concentraba lo suficiente para escribir un párrafo sin que las palabras de Michael cortaran el hilo de mis pensamientos.

Desde ese día y hasta el día de la boda, sentí que el pequeño diamante en mi dedo pesaba más que todas las joyas de la corona juntas.

Capítulo 15

La promesa

Ese era mi gran día: el día que había soñado desde que era una niña pequeña, el mismo que me habían prometido las telenovelas latinoamericanas, ese momento en el que finalmente terminaba todo el sufrimiento de María Claudia Patricia, interpretada por Thalía, al encontrar la auténtica felicidad en los brazos de Pedro Pablo Francisco, tras la oposición de la terrible Débora de Los Ángeles, interpretada por Gabriela Spanic. Hoy sucedería mi final feliz… solo que en realidad no era un final ni aparecerían los créditos con los nombres de toda la producción acompañados por la dulce voz de Jesús Navarro de Reik, tras una cortinilla en desvanecido que dijera en letra cursiva la palabra "fin".

Era mi gran momento pero, siendo sincera, estaba nerviosa, mareada, estresada, y quería vomitar. No había dormido bien la noche anterior y me preocupaba que las toneladas de maquillaje que me estaba aplicando no fueran suficientes para cubrir el rostro del trasnocho. Ahora tenía que estar pendiente de un montón de detalles… o, al menos, me sentía responsable aun cuando hubiéramos contratado a un *wedding planner.*

El zapato izquierdo me tallaba en el costado. Una sutil pero notoria hinchazón de carne resaltaba sobre mi cintura apretada por el vestido, y me miraba fijamente, diciéndome que iba a aparecer en todas las fotos y me haría ver gorda, También mi cabello se resistía a quedar como se suponía que luciera.

Ese era mi momento perfecto, el momento perfecto de toda mujer…, pero quizás las mujeres no somos perfectas, quizás la perfección está por encima de nosotras y no es más que una carga impuesta por nosotras mismas.

Pensé en Mateo y lo imaginé de pie en el altar, tan guapo y perfecto, o perfeccionado por un elegante traje de diseñador con el que podrías vestir a un jodido manatí y hacerlo ver guapo: ¿qué tan obeso tiene que ser alguien para que uno de esos *blazers* no moldee su cuerpo?

Sentí envidia de él y su traje, pero también recordé cuánto lo amaba y lo feliz que me haría llegar al altar de la mano de mi padre y ver su sonrisa tan expresiva. Supe que en ese momento me sentiría tan feliz que no recordaría el punzante dolor en el pie izquierdo.

También supe que cuando saliera de la iglesia tomando su mano, no solo tendría mi final feliz, sino que ese hombre que tanto había sufrido en la vida, que jamás había tenido un lugar para llamar propio o una persona que lo amara incondicionalmente, por fin tendría todo eso y más. Yo lo haría feliz, yo sería su roca y yo jamás lo abandonaría, como lo había hecho su tía; jamás lo maltrataría, como también lo había hecho su tía, y jamás estaría en su contra, como lo había estado la vida desde que nació.

El hecho de pensar que no solo él era mi final feliz, sino que también yo era el suyo, me hizo sentir mucho más segura de lo que estaba a punto de hacer, y que en ese momento, joven y enamorada, quizás no pudiera dimensionar en toda su magnitud.

Subí a la camioneta de mi padre acompañada por mis hermanos, mi madre y él, y sentí deseos de llorar. Desde hacía muchos años no estaba con ellos en la camioneta, tal vez desde uno de esos viajes de vacaciones que tanto hacíamos en nuestra infancia, que hacíamos esporádicamente en nuestra adolescencia, y que en nuestra vida de adultos se habían convertido en recuerdos bonitos.

—Hijita, no vayas a dañar tu maquillaje —dijo mamá, adivinando lo que yo estaba sintiendo. Las mamás siempre lo saben todo.

Negué con la cabeza y cerré los ojos con fuerza, sabiendo que una lágrima perdida significaría una gruesa línea negra que bajaría desde mi ojo por toda mi cara y por mi cuello, y mancharía mi collar y mi vestido.

—Gracias, mamá.

—Estamos muy orgullosos de ti. ¿Lo sabes, Valentina? —dijo papá.

Mi hermana rio:

—¡No le digas esas cosas ahora! ¡Espera hasta la boda para las cursilerías! No sabes cuánto tiempo tardé haciendo esa obra maestra —dijo señalando mi rostro con ambas manos.

Pero sobrevivir aquella mañana de primavera sin arruinar mi maquillaje sería una tarea más complicada de lo que había pensado.

Cuando se abrió la puerta doble de la gran casa de campo de Trujillo Alto, me encontré con los rostros de Miguel y Pepe, quienes estaban de pie junto a sus novias de turno, sonriendo tan felices y orgullosos. Junto a ellos se encontraba Marcela, cuya expresión, lejos de ser de alegría, era de apoyo incondicional. A su lado estaba Michael, quien me saludó con la mano y desvió la mirada hacia el suelo, con cierta vergüenza. Supuse que no se sentía orgulloso de haberme sugerido que no me casara con Mateo, pero no lo resentía por eso.

Michael era un hombre muy lógico. Era natural que pensara que cualquiera debería analizar las cosas un millón de años antes de casarse; y lo apreciaba por decirme lo que él pensaba que era mejor para mí, pero no quería ponerle frenos a mi propio corazón: así no era yo.

Seguí avanzando mientras el pensamiento furtivo más inoportuno de todos se cruzó por mi mente: ¿qué tal si Marcela tenía razón y Michael estaba enamorado de mí? Por más que yo no creyera que él me veía como otra cosa que una amiga y una clienta más, Marcela siempre solía tener razón en estas cosas… y en todas las cosas. Quizás por eso no hablaba tanto, para no cansarse de tener razón. Y si así era, ¿cómo se sentiría Michael en este momento?

Sacudí la cabeza, sonreí y seguí caminando lentamente, para no tropezar con mi enorme falda blanca y no caerme en el suelo. No era momento de pensar en esas cosas: era el día de mi boda.

Levanté la mirada y me encontré con los ojos del hombre que me esperaba. Pensé que su rostro me llenaría de alegría, pero encontré algo muy diferente.

En sus ojos había preocupación, incluso miedo, miedo al abandono, a que yo no me presentara y lo dejara allí esperando como lo habían hecho tantas personas en su vida; miedo a no ser suficiente para mí, una chica bien que había estudiado en un buen colegio, tenía una familia de caja de cereal, un título universitario y una especialización hecha en Australia.

Supe por primera vez cuán inferior se sentía, y quise decirle lo que de verdad pensaba: que no me importaban las circunstancias en las que él había crecido, que lo amaba y lo admiraba por lo que era, por lo que quería ser, por ese corazón tan bonito que tenía, y que no lo iba a abandonar pasara lo que pasara, que conmigo no tendría que estar solo nunca más en su vida.

Cuando estuve de pie frente a él, antes de que el sacerdote pudiera comenzar con la ceremonia, antes de que los asistentes pudieran sentarse, antes de que los músicos dejaran de tocar la marcha nupcial, lo miré a los ojos y le dije:

—Mateo, estoy aquí para ti, y te prometo que nunca voy a abandonarte.

Y no fui yo la que arruinó su maquillaje. Él rio y rompió a llorar tras escuchar las palabras que su corazón tanto había necesitado oír por muchos años, la promesa más importante que jamás le hice a alguien y que provino de lo más profundo de mi ser. El sacerdote empezó la ceremonia:

—En el nombre del padre…

Y los asistentes se sentaron.

Escuché las palabras del sacerdote durante la ceremonia. Ambos dimos el sí, nos besamos, nos echaron arroz a la salida, nos fuimos al aeropuerto rumbo a nuestra luna de miel, pero yo sabía que estábamos casados desde el momento en el que le hice esa promesa.

Capítulo 16

Por nuestro futuro

Cuando crecí entendí que mi padre tenía toda la razón al recomendarme que no me convirtiera en profesora: a los maestros no se les paga bien y se les explota laboralmente, no porque trabajen más horas que otros profesionales, sino porque son los que más trabajo deben llevar a sus casas.

Una de las tareas más importantes que he tenido en mi carrera fue representar a los maestros de Puerto Rico y abogar para que fueran mejor reconocidos en su labor diaria. Esta misión llegó a Ivonne, mi compañera de trabajo, y a mí de la mano de la Asociación de Maestros de Puerto Rico.

Así conocí a Juliana Montoya, maestra de lengua castellana, quien ponía su despertador a las 4:45 a. m. cada día y apenas le alcanzaba el tiempo para bañarse, vestirse, preparar el desayuno de su hija y empacar el almuerzo de ambas antes de salir a un día de clases en una escuela que estaba a cuarenta minutos de distancia.

Juliana pasaba el día rodeada de estudiantes amorosos que hablaban maravillas de ella: les gustaba su risa, su dulzura, su forma de tratarlos (cuando no estaba enojada, pues a veces necesitaba ser estricta), su compromiso, y su forma de enseñar. Tuve la oportunidad de compartir algunos días con ella y acompañarla a tomarse más de cinco tazas de café diarias. Lo primero que me sorprendió de ella fue su memoria: tenía ocho grupos, y recordaba exactamente qué le había dicho la clase anterior a cada uno, en qué momento, y de qué forma. Sabía los nombres de unas quinientas personas y, por lo que pude ver más adelante, conocía las vidas de esos quinientos estudiantes y los problemas personales y familiares de cada uno.

Durante la jornada, Juliana dictaba varias clases, una después de otra, y tenía alguna que otra hora libre que utilizaba para calificar exámenes y tareas, o para planear futuras lecciones.

—¿Por qué debes hacer tantas planeaciones? Pensé que en esta escuela ustedes tenían un programa hecho —pregunté, inocente.

Ella rio.

—Tenemos un programa, unos temas, pero no todos los grupos son iguales y por eso no podemos dar la misma clase a dos grupos aunque tengan los mismos temas, al menos no de la misma manera. Con cada grupo debes descubrir la mejor forma de enseñarles y adaptarte a eso.

Asentí con la cabeza. Eso tenía sentido.

—Pero, si tienes tantas planeaciones y, además, debes corregir los exámenes, las tareas y el proyecto del curso doce, no te alcanzará el tiempo. El horario termina a las cinco.

Ella se encogió de hombros.

—Como dice mi coordinador: "¿ustedes qué hacen de 5:01 p. m. a 4:00 a. m.?".

Ella rio y yo no supe si reír. Lo había dicho a modo de chiste, pero no lo era. No había terminado ni la cuarta parte del trabajo pendiente cuando sonó el timbre y tuvimos que volver a clases.

Apenas Juliana ingresó al aula su rostro se iluminó.

Verla en su labor durante aquellos días me hizo preguntarme si no había subestimado la tarea de ser maestra cuando era niña, pues pude percibir con claridad que no era solo una cuestión de estar de pie junto a un tablero y explicar un tema: era necesario enseñar, pero también cuidar, aconsejar, motivar, corregir, entretener, divertir, observar y reinventarse constantemente.

116

Ella se reía, traía videos, imágenes, organizaba juegos, actividades, debates con los más grandes. Tenía ojos en la espalda y en los costados, y visión de 360 grados para estar pendiente de todo lo que pasaba en cada uno de los salones que visitaba. Le abría los paquetes de chips a los más pequeños, y charlaba sobre la vida con los más grandes. Con ella, entendí que un maestro no solo es maestro, también es un amigo y un psicólogo.

En las horas de descanso, mientras compraba en la cafetería y observaba a los estudiantes corriendo, jugando, charlando o descansando, se me pasó por la cabeza un pensamiento obvio del que casi nunca somos conscientes: los niños y adolescentes pasan la mayor parte del día fuera de sus casas, lejos de sus padres, y son los maestros los adultos que están a su alrededor durante ese tiempo para educarlos, guiarlos, o simplemente para ser ejemplos de vida o modelos a seguir de forma inconsciente.

Eso me llevó a un segundo pensamiento aún más obvio y del que, como sociedad, somos incluso más inconscientes: los maestros son los responsables del futuro de nuestro país y nuestro mundo, pues son los que están construyendo lo que serán las próximas generaciones, y aun así son los profesionales menos valorados y peor pagados. ¿Qué sentido tiene eso? ¿Cómo es eso siquiera posible?

117

Esos niños y jóvenes serán los médicos, arquitectos, ingenieros, abogados y policías del futuro, y el estado del futuro de todos será directamente proporcional a lo que ahora invirtamos en su educación; no solo en dinero, sino también en reconocimiento y valor.

Me encontré con Ivonne, quien, a su vez, acompañaba a un maestro llamado Martín Zabaleta y, con el resto de nuestro equipo, organizamos una de las campañas de medios más masivas que he tenido hasta ahora.

Un par de meses más adelante, por toda la isla habría personas vestidas de color naranja, unidas en un solo espíritu: honrar a nuestros maestros y recordarlos con una pregunta que se convirtió en nuestro eslogan:

"¿Fuiste importante para mí?"

Bajo este eslogan, miles de personas hablarían en redes sociales sobre un maestro de su escuela o universidad, y dirían por qué habían sido importantes, cómo las habían ayudado a ser mejores, o en qué formas habían sido especiales.

Hubo fotos, videos, y publicaciones de todo tipo, y muchos maestros fueron merecidamente honrados por sus años de trabajo y esfuerzo. Hubo sonrisas, lágrimas, y abundante amor y orgullo, pero sabemos que falta bastante todavía y que aún queda mucho que hacer por nuestros maestros.

Esta tarea fue muy enriquecedora para mí, pues trabajar para que se valore a un maestro es traer consciencia al mundo y aportar un granito de arena por nuestro futuro.

Capítulo 17

Sacrificios

Casarse es uno de los acontecimientos más felices de la vida de cada ser humano, o al menos eso es lo que todos esperamos, sin embargo, estar casado no es igual de fácil y glamoroso. Cuando sales del altar hacia la luna de miel sientes que todo es muy bello; el avión, el sol a través de la ventanilla, el desayuno de hotel con *buffet*, la piscina, la playa, y tomar de la mano al hombre que has amado por tantos años. Ese día fotografías todo: la bebida que se derramó, el gato que pasó caminando por tus pies, el vestido de sol que se te ve magnífico, y tu hermoso hombre con sus gafas negras... Estás agradecida con la vida y con el universo por ser tan generosos contigo y regalarte la vida que siempre soñaste.

Unos días más tarde llegas a casa y notas que todo, desde ahora, será diferente.

Mateo y yo ya habíamos pasado fines de semana o vacaciones juntos; pero, ahora que estábamos viviendo en la misma casa, no podíamos ocultar nuestros particulares hábitos y costumbres. Yo dejaba en la ducha una docena de botellas con tratamientos capilares, acondicionadores, champú, *aftershower*, crema para el cuerpo, mientras que a él le gustaba que cada espacio estuviera vacío y se viera hermoso.

—Esta es tu casa y yo aquí parezco un inquilino —se quejaba él, porque yo había llenado no solo la ducha, sino también el baño, los clósets y la cocina con cosas mías. Supuse que tenía razón e intenté guardar algunos objetos en cajas para que no llenaran todo el espacio de nuestro hogar. Pensé que era lo correcto.

Esa solo fue la primera de las discrepancias. La siguiente fue mía:

—No me gusta que subas los zapatos a la cama —le dije, intentando sonar despreocupada mientras pensaba en todas las personas que estornudan, escupen, vomitan, tiran basura y tosen en el pavimento que esos zapatos habían pisado.

Él los retiró sin decir nada, visiblemente molesto. Y pronto, estas discrepancias se convirtieron en una especie de juego de ping pong, en el que siempre alguien se sentía incómodo por algo y la otra persona se ponía a la defensiva. La crema dental, la tapa del retrete, el gel para el cabello, que yo tuviera demasiados zapatos, que él dejara los suyos en cualquier parte, que yo me iba a trabajar todo el día y que él sentía que era un fracasado que en el fondo no creía merecerme.

Mientras yo me había convertido en una publicista y asesora de imagen importante, él trabajaba en un restaurante lavando platos. Yo entendía lo que él sentía:

—Yo no tengo tu elegante título universitario ni tu especialización en Australia —expresaba él con cierto resentimiento—. Yo no tuve las mismas oportunidades que tú, que fuiste criada en cuna de oro y todo te cayó gratis del cielo.

Crucé los brazos, dolida, ocultando mi furia: una cosa era que mis padres se hubieran preocupado por mí y no fueran unos desgraciados como sus tíos, y otra muy diferente era que la vida me hubiera regalado lo que tenía. Me había trasnochado estudiando más noches de las que puedo recordar, y me había esforzado más duro que cualquiera para llegar a donde estaba. ¿Qué sabía de esfuerzo él? ¡Quejarse sí que era bastante cómodo y fácil de hacer!

—Las parejas no son para competir entre sí —le dije—. Estamos para apoyarnos. ¿Te gustaría estudiar?

Él levantó la mirada con incredulidad.

—Mati, yo quiero apoyarte en lo que pueda. Vamos mañana a buscar una carrera universitaria para ti. Buscaremos una beca o algo. Yo te apoyaré.

Me abrazó y se disculpó con lágrimas en los ojos por lo que me había dicho, por haber tenido esa actitud hacia mí, y dijo que yo era un ángel del cielo y que era lo mejor que le había pasado en la vida.

Supuse que sí era un ángel del cielo; pues desde ahí en adelante empecé a ayudar a mi esposo, que soñaba con ser abogado. Nuestra relación mejoró: lo veía sonriente, motivado, y era más amoroso que nunca.

Eso tenía sentido: ahora que él disponía de su mundo, sus sueños, su vida, y yo disponía de los míos, ambos éramos personas más felices y teníamos más para compartir con el otro, aunque de momento fuera yo la que sostenía ambos mundos con gran esfuerzo.

Me levantaba temprano todas las mañanas a hacerle el desayuno y a preparar el almuerzo para ambos. Luego llevaba a Mateo a la universidad y me iba para mi trabajo. Por las tardes llegaba a casa cansada a hacer aseo, limpiar, lavar platos; y me iba a dormir exhausta, pero entendía que era un sacrificio que valía la pena.

Pocos meses más tarde, Mateo renunció a su trabajo en el restaurante. Argumentó que no podía concentrarse en sus estudios y que necesitaba estar cien por ciento enfocado en eso. Yo pagaba todos los gastos de nuestra casa y los estudios universitarios de mi esposo; no obstante, desde mi punto de vista eso era una inversión. Ahora tenía que trabajar el doble para lograr mantener el ritmo de los gastos; pero en unos años Mateo sería un profesional hecho y derecho que ganaría tanto o más dinero que yo, y tendríamos una gran vida.

Me di cuenta entonces de que yo no era una mujer de términos medios, y de que si estaba con alguien lo daba todo por esa persona. A veces me sentía insegura cuando dejaba a Mateo en la universidad, rodeado de chicas tan guapas y jóvenes, pero sabía que él no me engañaría, que yo era su mundo simplemente porque él era el mío.

No puedo negar que a veces me quedaba unos minutos en el auto, mirando a los estudiantes y recordando mi vida universitaria, en los tiempos en que era una muchacha despreocupada sin nada que perder. Extrañaba esos días; extrañaba a la Valentina de esos días. ¿Dejar a esa versión de mí misma en el pasado era madurar o estaba cometiendo un error grave al cambiar por responsabilidad mi propia espontaneidad y alegría?

A veces me miraba en el espejo retrovisor y mi propia cara me recordaba a la de mi madre: hacendosa, sacrificada, cuidando de alguien como lo haría una madre con un hijo y sin ser cuidada por un igual.

También me sentía insegura con mi cuerpo, pues tanto trabajo y estrés me habían llevado a descuidar la alimentación y el autocuidado. Llevaba meses sin hacerme una mascarilla para la piel o un tratamiento de colágeno o queratina para el cabello; tampoco iba al salón de belleza porque no quería gastar dinero... y esas chicas de la universidad eran más parecidas a la versión de mí de la que Mateo se había enamorado en un principio: alegres y espontáneas; y no se parecían a mi madre.

Vivía la existencia de sacrificio de una abuela o una madre mientras él, gracias a mí, experimentaba la vida de universitario que siempre había querido.

Miré mis propias piernas y mis brazos, y sentí un vacío en el pecho. No pude creer que estuviera usando estas horribles zapatillas deportivas mientras mis viejos tacones rojos se llenaban de polvo bajo mi cama porque no tomaba el tiempo necesario para elegir mis atuendos. ¿Cuánto me estaba descuidando? ¿Valía la pena descuidarme así por cuidar de otra persona?

La respuesta a esa pregunta llegó sola unos días más tarde. Era sábado por la noche e invité a mis amigos a nuestra casa. Quería demostrarle a Mateo que aún era una persona divertida.

Pepe y Marcela llegaron primero. Encendimos el estéreo y escuchamos música mientras charlábamos y preparábamos tapas españolas.

Mateo reía y disfrutaba, y sentí regresar en el tiempo a aquellos días en que no me había casado, vivía con mis amigos, y Mateo y yo apenas éramos un par de novios enamorados.

Fue un momento hermoso hasta que llegó Miguel, un par de horas más tarde.

Su cuerpo estaba más trabajado que antes. Evité mirarlo para que Mateo no se pusiera celoso, pero cuando entró su nueva novia ni él ni yo pudimos evitar quedar con la boca abierta: la novia de Miguel era la mujer más despampanante que había visto en mi vida, lo cual era decir mucho, ya que yo trabajaba con actrices y cantantes.

Mateo no pudo evitar mirar sus enormes y firmes senos, sus gruesas piernas, sus labios carnosos y su largo, largo cabello… y yo no pude evitar mirar los ojos de Mateo recorriendo semejante cuerpo de diosa.

Él se percató de mi mirada sobre la suya e intentó sonreír despreocupadamente. Dijo:

—¡Miguel! Como dije hace años: ¡te envidio!

Me dirigí hacia la cocina para que mis amigos no vieran mis lágrimas. ¿Qué se suponía que significaba eso? ¿Mi esposo envidiaba la novia de otro? ¿Entonces qué era yo para él?

—No te pongas así, Vale —dijo al llegar a la cocina unos minutos después—. Tú sabes a qué me refiero. Él siempre se enreda con mujeres del gimnasio que están buenísimas. Nada más por eso lo dije, quería que se sintiera bien.

Me limpié las lágrimas para que no se diera cuenta de lo mucho que me había dolido su comentario.

—Lo envidias —dije.

Se encogió de hombros.

—Cualquier hombre lo envidiaría. Sus novias siempre están buenas, son sexis y sensuales. Ya, déjalo y vamos a la sala.

—Si ellas son todo eso, ¿yo qué soy?

—Pues tú no eres como ellas, ¿qué quieres que te diga, Vale? ¿Quieres que te mienta? No seas inmadura y vamos a la sala.

Respiré profundo. Intenté verlo como él, intenté asumir que el mundo estaba lleno de mujeres mucho más atractivas que yo, y que no podía compararme con ellas o me sentiría miserable.

Aun así, ese día me puse a dieta.

Capítulo 18
El estigma

Había una vez una niña llamada Karina. Su padre era médico y, desde pequeña, solía llevarla al trabajo con él para que le hiciera compañía en el consultorio. Ella se sentaba a jugar durante horas y, aunque a su padre no le gustaba que tocara los utensilios, a ella le encantaba ponerse los guantes, que entonces le quedaban enormes, y las batas, que en esa época eran como una cobija para ella, además de escuchar sus propios latidos en el estetoscopio y jugar a ser doctora. Admiraba a su padre por tener esa vocación de ayudar a los demás, de salvar vidas. Ante sus ojos, él era un héroe.

Cuando Karina creció, decidió ser enfermera. Se convirtió en una mujer muy bonita y se enamoró de un hombre bueno con el que se casó y con quien tuvo una bebé...

Había una vez una estudiante llamada Laura que vivía con una madre sobreprotectora que no la dejaba salir con sus amigos y le tenía prohibido tener novio. A ella le gustaba escuchar bachata mientras estudiaba, y vivía fascinada con los videos de baile en YouTube. Incluso practicaba en su alcoba, y soñaba con tener algún día un novio que la llevara a bailar.

Unos años más tarde, Laura se fue a vivir con su papá en la capital para estudiar economía en la universidad. Era una persona muy aplicada, de la que su padre podía estar orgulloso en los pocos ratos en que se veían, pues él trabajaba como ingeniero eléctrico y le era imposible estar tan pendiente de ella como su madre.

Laura hizo muchos amigos y aprendió a bailar bachata muy bien. Le gustaba participar en concursos de baile y salir los viernes con sus amigos después de la universidad...

Había una vez un muchacho muy amable y sensible llamado Gustavo. Su sueño era ser chef, y a sus doce años pasaba el tiempo encerrado en su casa preparando recetas de los libros de cocina que su mamá le compraba.

En el colegio, compartía la mayor parte del tiempo con sus amigas hablando de *Grey's Anatomy* y *Teen Wolf* en lugar de estar con sus compañeros jugando al fútbol, y eso era mal visto por muchos. Algunos años más tarde, conoció a Laura en la universidad y se hicieron novios...

Conocí a estas tres maravillosas personas muchos años más tarde, cuando trabajé en una de las campañas que más marcó mi vida. En esa época ellos sobrevivían cada día cargando uno de los estigmas más duros y dolorosos que han existido en la historia de la humanidad.

Karina no lo vio venir: estaba sacando sangre a un paciente, hizo un mal movimiento con la mano y la punta de una aguja infectada con VIH se clavó en su antebrazo. Laura estaba con sus amigos en un bar, y nadie notó que un tipo en otra mesa le puso algo en su bebida. Una hora más tarde, ninguno de ellos podía encontrar a Laura, que estaba siendo violada por ese hombre en un callejón. Gustavo, su novio, tuvo sexo con ella unos días más tarde y fue contagiado. Los tres resultaron VIH positivos, sus vidas se fueron abajo y nadie los apoyó.

Karina era bonita, por eso seguramente era una mujer fácil que se había contagiado por andar acostándose con uno y con otro, y todas aquellas veces que se quedaba hasta tarde en el trabajo en realidad estaba teniendo sexo. Su esposo abandonó la casa y se llevó a su hija; y le impidió verla para siempre porque el hecho de estar en la misma habitación con una persona que tuviera VIH suponía un riesgo altísimo de contagio. Karina también fue despedida del hospital, porque una enferma como ella no podía cuidar de la salud de otros.

Karina regresó a casa de su madre, derrotada y sin posibilidades de conseguir un nuevo trabajo. Su madre la recibió, pero nunca dejó de culparla ni de recriminarle el error tan grande que había arruinado su vida: *tener VIH era su culpa...*

Laura tampoco imaginó lo que pasaría: ¿quién espera ser drogado y violado en una fiesta? ¿y quién espera ser repudiado y mirado con asco después de ser víctima de algo tan horrible?

Para el mundo, Laura era una fiestera que se había buscado lo que le pasó. Una mujer que sale a bailar los viernes no tiene derecho a quejarse si la violan. La historia que se contaba en su pueblo era que después de salir del control de su madre, Laura había llegado caliente a la ciudad a acostarse con todos y se había buscado aquello que su madre había intentado tan duramente evitar. Para el mundo, ella era una perra y se merecía lo que le pasó...

Todo imaginó Gustavo, menos que lo echarían de su propia casa, que le quitarían el apoyo económico y que sería despreciado hasta el punto de llevarlo a considerar el suicidio. Él era un muchacho sensible al que no le gustaba el fútbol, que tenía más amigas que amigos y estudiaba para ser chef. Seguramente era un "joto" al que le gustaban los penes y, como todos y cada uno de los homosexuales son promiscuos y *sidosos*, se había contagiado por *desviado*.

Su padre, tan homofóbico como era, no dudó en echarlo de la casa sin siquiera escucharlo primero. Su madre no podía decir nada, pues el hombre de la casa era el que tomaba las decisiones. Los amigos, las amigas, todos aquellos que pudieron darle la espalda, le dieron la espalda, y sobra decir que no pudo conseguir trabajo cocinando, pues todo el mundo sabe que contagiarse de VIH es tan fácil como que un contagiado prepare tu comida o te ponga un dedo en un hombro. Es más, no necesita tocarte, basta con que el contagiado respire el mismo aire que tú; es más, no necesita respirar, es suficiente con que un contagiado exista en el mismo planeta que tú y por eso Gustavo llegó a desear desaparecer; pues las miradas de asco y desprecio que él, Laura, Karina y millones de personas en el mundo recibían cada día eran mucho más dolorosas de lo que podría ser la enfermedad que todos habían contraído. Sin importar que algún día fueran a morir, era como si ya hubieran muerto...

Aprendí mucho de estos hermosos seres humanos; cosas bonitas, como los postres que Gustavo sabía preparar o los pasos de baile que Laura dominaba a la perfección, y también verdades dolorosas sobre la vida. Lo primero que aprendí fue que la ignorancia es el más peligroso de los males, pues es el único que puede llevar a buenas personas a cometer actos horribles y atroces como los que cada uno de ellos había sufrido. De esto era ejemplo, el esposo de Karina, que en realidad hubiera podido vivir una vida plena junto a su esposa y su hija si hubiera sabido a tiempo que es posible vivir con alguien con VIH, pues las condiciones de contagio son muy específicas y el mayor riesgo lo tiene el contagiado por la ineficacia de su sistema inmune. Lo segundo fue lo peligroso que es el pensamiento de masa y las generalizaciones, pues nadie en la vida de Laura se molestó en confirmar la historia que todos contaron y repitieron, y perdieron a una persona tan valiosa como ella porque pesaron más los juicios y prejuicios de todos. Lo tercero fue que aún vivimos en un mundo demasiado salvaje, y a la humanidad le falta evolucionar, no únicamente como grupo, sino a nivel individual, pues ninguno de nosotros tendría por qué opinar sobre la orientación sexual de otros ni condenar sus gustos solo porque no son iguales a los nuestros.

El objetivo de nuestra campaña era eliminar algunos mitos perniciosos y combatir el estigma que estas personas deben sufrir a diario, de modo que también aprendí mucho sobre el VIH.

Aprendí que el VIH no es una sentencia de muerte gracias a los avances de las últimas décadas en terapia antirretroviral. Un paciente puede vivir tanto como cualquier otra persona mientras sea disciplinado en su tratamiento y lleve a cabo todos los cuidados necesarios. Era importante que esto se supiera ya que lo más devastador en la vida de cada una de estas personas era el miedo que sentían la primera vez que un médico les decía su diagnóstico.

Los médicos especialistas nos ayudaron a promover una campaña que combatiera la desinformación que había afectado, por ejemplo, al matrimonio de Karina, pues en realidad es posible vivir con alguien que tiene VIH, ya que este no se contagia a través del aire, la saliva, el tacto, las lágrimas, el sudor, los besos, los abrazos, los cubiertos, las botellas, la tapa del inodoro, o en general, cohabitando con un paciente. El virus solo se contagia a través de la sangre, el semen, los fluidos vaginales y la leche materna, que son elementos muy concretos.

Escuchar tantos casos y a tantas personas me permitió ver de primera mano que los pacientes de VIH son seres comunes y corrientes que en muchos casos se contagiaron por un descuido, o por desconocimiento me llevó a valorar lo fácil que es contagiarse si no se toman las precauciones necesarias, y que puede pasarle a cualquiera, incluso a ti o a mí, por lo que lo mínimo que debemos a ellos es nuestra empatía y comprensión.

La campaña generó fondos para hospitales y tratamientos, y sirvió para restaurar algunos lazos que se habían roto con los años: lazos entre padres e hijos, hermanos y hermanas, amigos y amigas, primos, tíos, compañeros, parejas… Nunca olvidaré lo que sentí cuando Karina se encontró nuevamente con su hija y se abrazaron por primera vez en años.

Capítulo 19

Mentiras peligrosas

Trabajar, cocinar, limpiar la casa, llevar a mis mascotas al veterinario, hacer campañas publicitarias masivas, comprar los víveres, pagar las cuentas, cuidar de mi esposo Mateo y ayudarlo cada día con todo lo que fuera necesario. Poco a poco me sentía alejada de mis amigos, aislada, y realmente necesitaba un respiro, por lo que una noche llamé a Marcela para que fuéramos a una discoteca a bailar con la vieja pandilla.

—Necesito salir, Marcela, ¿vamos por unos tragos?

—Hablé con Pepe hace un rato y me dijo que estaba ocupado esta noche. Y Miguel está de viaje.

—Vamos las dos solas —le dije—. Necesito relajarme un poco y estar aquí no me está ayudando.

—¿Está todo bien, Val?

No respondí. La verdad era que sí, todo estaba bien. Todo en mi vida era perfecto: mi carrera iba muy bien, mi matrimonio era estable y teníamos lo necesario. No era que las cosas no estuvieran bien, pero me sentía agotada del esfuerzo y el trabajo duro que requería que así lo estuvieran. A veces me preguntaba cómo hacían las otras personas para sacar sus vidas adelante sin morir en el intento.

—Está bien, vamos las dos solas, no necesitamos de nadie para divertirnos —dijo, sin que yo alcanzara a responder. La conocía. Seguramente mi silencio la había hecho preocuparse por mí.

Esa noche, fuimos al mismo sitio al que habíamos ido desde la época de universitarias: La Cotorra Azul, un pequeño bar del centro de San Juan con mesitas y sillas de madera, y con una pista de baile para la música vieja y tradicional que ambientaba el sitio. Hacían un excelente coctel margarita. Pedimos dos y nos sentamos juntas a hablar sobre la vida.

La fiesta, cuando eres universitaria, es un poco más fuerte, más ruidosa, con más gente. Ahora, como adultas, seguramente nos tomaríamos unos tragos, compartiríamos un rato y nos iríamos temprano a casa, ya que al día siguiente había que madrugar.

Así lo hicimos, o así pensamos que sería la noche cuando Marcela se levantó y subió las escaleras para ir al baño. Me distraje mirando hacia arriba y disfrutando la música. Sonaba reggaetón del viejo, del que ni siquiera se llamaba *reggaetón* todavía.

Estaba tan distraída que, cuando crucé la mirada con un hombre que estaba sentado al otro lado del bar, no caí en cuenta de lo que había visto. Él era delgado y de piel canela, y compartía la mesa con un hombre que vestía traje y llevaba la camisa abierta. Se habían tomado de la mano y besado un par de veces. Claramente, eran pareja. Me hacía gracia pensar que ellos creyeran que Marcela y yo también lo éramos. Se me pasó por la cabeza sacar a bailar a uno de ellos si más adelante se me antojaba bailar. Es maravilloso bailar con alguien que no te mira con morbo, algo que muchas mujeres sentimos, pero no decimos en voz alta.

Nuestras miradas se cruzaron y su expresión cambió. Pareció sobresaltarse. Quizás me había confundido con alguien que conocía. Como asesora de imagen en el ámbito de la farándula puertorriqueña, en este punto tenía más amigos gais que amigos heterosexuales.

Marcela bajó las escaleras y, cuando vio mi cara, desvió la mirada hacia los hombres de la otra mesa… y se quedó allí, en medio de la pista de baile, completamente pasmada, como si no supiera si venir a sentarse conmigo o ir hacia la pareja. Me levanté confundida.

El hombre también se levantó, para sorpresa de su acompañante, y se acercó a Marcela. Entonces pude verlo un poco más de cerca.

Me quedé con la boca abierta, confundida, como si de un momento a otro estuviera atrapada en algún tipo de realidad alternativa o mundo paralelo.

—Pepe —dijo Marcela, mientras él la saludaba, y luego caminaba hacia mí, seguido del otro hombre.

Los tres se acercaron a mi mesa, y pude sentir la tensión y la incomodidad.

—Yo… —balbuceó Pepe, claramente en *shock*, sin saber cómo reaccionar—. Marcela, Vale, les presento a Johnatan —dijo, y nos mostró a su acompañante.

Este sonrió y se apresuró a estrechar la mano de Marcela y luego la mía. Se trataba de un hombre bastante atractivo y parecía alegre. Era el único que no participaba de la extrañeza de esta escena.

—A Marcela ya la conozco, Pep, ella y yo somos amigos desde hace tiempo. ¡Mira cómo es de pequeño el mundo!

—Es muy pequeño —dijo Ella, sin poder superar su asombro—. Nunca pensé que tu chico fuera nada menos que…

Pepe se sonrojó.

—Mucho gusto, Vale —continuó Johnatan, encantador—. ¿Eres Vale de Valeria o Valentina?

Por un momento no entendí su pregunta:

—Disculpa, yo… ¡Oh! ¡Valentina! ¡Me llamo Valentina! ¡Es un placer conocerte!

—Es un placer, Johnatan —le dije, intentando forzarme a salir de mi estado de *shock*—. Creo que iré por más margaritas. ¿Tú quieres una, Marcela?

—Por favor —dijo ella.

***

La noche transcurrió de forma muy diferente a lo que había imaginado. Johnatan era un tipo muy divertido, y nos quedamos bailando hasta más tarde de lo esperado.

Hubo un rato en que Johnatan y Marcela se fueron a la pista de baila y se tardaron un largo, largo tiempo. Por la forma en la que se trataban, eran buenos amigos.

Me quedé a solas con Pepe y quise hacerle muchas preguntas y decirle muchas cosas, pero era incapaz de abrir la boca. Me sentía un poco tonta por no haberlo sospechado en tantos años de ser amigos; y parte de mí deseaba preguntarle cómo había logrado que ninguno de nosotros se diera cuenta, o por qué no nos había contado, o si era que no confiaba en nosotros, si no confiaba en mí…; pero también deseaba decirle que era su amiga y que lo quería mucho, y que habría podido contarme cuando él lo hubiera decidido.

—¿Deseas saber lo que realmente pasó con Luciana? —preguntó él, de repente, rompiendo el silencio.

—Claro que sí. Siempre quise saberlo. Había algo sobre tu historia que no encajaba para mí. ¿Ella se dio cuenta de tu orientación? ¿Te dijo algo al respecto?

—Ella me propuso matrimonio, Valentina —respondió, mientras Johnatan lo miraba sonriente desde la distancia—. Y yo estuve a punto de decirle que sí.

—Hubiera sido un gran error.

—Para mí hubiera sido un gran error, pero no para mis padres, especialmente mi papá. Él siempre quiso que yo me casara y tuviera una familia, incluso pensaba comprarme una casa. En ese momento, cuando ella me propuso matrimonio me pareció que todo era perfecto, que todo estaba en su lugar y que todo encajaba… pero no era mi vida, sino la de un extraño. ¿Te imaginas vivir por el resto de mi vida atrapado dentro del cuerpo de un extraño? Eso fue lo que imaginé en ese momento. Pensar en la cara de mis padres, en la casa y en los niños jugando en el patio fue lo que me hizo reaccionar y terminar con Luciana.

141

Puedo fingir, puedo mentir mucho… siento que en cada relación que tuve, en parte lo hice.

—Sabes cómo mentir —estuve de acuerdo—. Recuerdo cuando hacías chistes homofóbicos y Marcela se enojaba contigo porque le parecían una falta de respeto. Era como si quisieras ser el ideal de un macho.

Se encogió de hombros.

—Era mi gran mentira: hacia mis padres, hacia mis amigos, hacia mí mismo. Era un buen mentiroso y podía hacer creer a todos que esa era mi realidad, pero Luciana me hizo ver lo peligrosa que era tal mentira. Pensar en un hogar, en un matrimonio, en una familia, en mi padre convertido en abuelo… y pensar en todo eso con un sentimiento agridulce. No, Valentina, yo no podía llegar tan lejos, no podía construir una vida entera sobre una mentira. Tenía que terminar las cosas con Luciana y buscar la forma de existir sin hacer daño a los demás.

Tomé de mi margarita.

—Pero no saliste del clóset todavía. Tuviste más novias después de Luciana. ¿Por qué seguiste saliendo con mujeres si ya sabías que no te gustaban?

Negó con la cabeza.

—Yo me negaba a aceptar mi homosexualidad. Pensaba que tenía que ser un error, que era una fase. Al principio dije que era bisexual, pero sabía que esto no era verdad. Toda mi vida había sentido miedo de ser gay.

Lo tomé de la mano con fuerza.

—Sé que hay un millón de motivos para sentir miedo en un mundo como el nuestro, ¿cuál era el tuyo? —le pregunté.

—No te vayas a reír de mí.

—Uno de mis mejores amigos de años me abre su corazón y, ¿tú piensas que me atrevería a reírme de lo que me digas? No, Pep, yo te adoro y puedes confiar en mí.

Suspiró.

—Pensaba que me iba a ir al infierno por ser gay.

—Entiendo. Nuestra cultura, nuestra religión, todo eso viene impreso en nosotros y tú… No me imagino cómo tuviste que sentirte.

—Como una mala persona que está a una mirada de distancia del infierno, una mirada a un chico que le gusta, tal vez; una mirada con un poco de deseo y tu alma estaría condenada para siempre. Por eso no podía permitirme ser lo que de verdad soy. Por eso también, desde adolescente saltaba de novia en novia. Para mí era más importante tener novia que para cualquier otra persona. Era la única forma en la que me sentía como lo que se suponía que tenía que sentirme, como un hombre, o como lo que se supone que un hombre debe ser. Pero no era feliz con ellas…

o quizás lo era, pero no lo suficiente, y por eso terminaba metido en relaciones que no quería. No sabes cuánto me arrepiento de haber engañado a tantas mujeres que no lo merecían.

Le di un golpe en el brazo:

—Eres mi amigo, siempre lo serás, pero eras un verdadero cretino. Marcela y yo sentíamos terror de terminar enamoradas de un tipo tan inestable.

Él se rio.

—Ya no soy así, ¿sabes? Ahora no ando de relación en relación. Estoy con Johnatan —dijo, y levantó su copa hacía su novio, que lanzó un beso desde la pista de baile.

Percibir el brillo en los ojos de Pepe cuando vio el gesto de Johnatan me hizo sentir muy feliz. Me pregunté si alguna vez había visto ese brillo en sus ojos y supe que no era así. No pude resistirme; me lancé sobre mi amigo y lo abracé con todas mis fuerzas.

—Muchas gracias por contarme, Pep.

—Perdóname por no hacerlo antes —dijo y sus brazos se cerraron alrededor de mí. Sentí todo su cariño y realmente quise que él pudiera sentir el mío.

—Sabes que te quiero, y siempre te apoyaré —dije—. Espero que Johnatan no se ponga celoso.

—No se pondrá celoso. Soy gay.

144

Se me salieron un par de lágrimas de alegría.

—Por supuesto que eres gay; si no, alguna vez habrías intentado coquetear conmigo o con Marcela. Estamos más buenas que casi todas tus exnovias.

Su voz se quebró cuando respondió:

—La verdad es que sí, Vale, la verdad es que sí.

Capítulo 20
Prevención

Después de conocer la verdad sobre Pepe, él y yo empezamos a hablar mucho más que antes. Era de esperarse, pues había algo tan grande y tan importante en su vida que antes no me podía contar y de lo que ahora podía hablar con naturalidad.

Entre charla y charla, texto y texto, chiste y chisme, empecé a entender algo que no había considerado a fondo anteriormente, y era lo difícil que es ser hombre en una sociedad machista. Como mujer, había vivido en carne propia las dificultades que nosotras enfrentamos. Estaba acostumbrada a cuidarme, a cuidar las espaldas de mis amigas, y a luchar aguerridamente para ganarme mi lugar en el mundo, sabiendo que a las mujeres bonitas no se nos toma en serio en ninguna parte, y que la gente piensa que todo lo que tenemos es gracias a algún hombre. Sin embargo, la historia de Pepe y todas las demás historias que me contó poco a poco me hicieron ver a los hombres bajo una luz muy diferente.

La hombría no es como la femineidad, sino que es un calificativo que no tienes de nacimiento por el simple hecho de ser hombre, y que no lo conservas, que no te pertenece, a menos que cumplas con una serie de estándares y que te comportes de ciertas maneras. Esta dichosa hombría era una de las razones por las que Pepe se obligaba a sí mismo a tener novias cuando ni siquiera le gustaban las mujeres: para ser "hombre" y ser digno del respeto de los demás necesitaba "demostrar" que era capaz de conseguir mujeres y acostarse con ellas. Este requisito también era necesario para tener autoestima, algo de lo que Pepe carecía a pesar de todo, porque en el fondo conocía sus verdaderos sentimientos, así luchara con todas sus fuerzas por negarlos. Desde luego, en una sociedad machista no todo hombre de nacimiento es considerado un hombre. Un homosexual no es valorado como tal, así sea el mismísimo Steven Seagal y tenga la fuerza para derrotar a un batallón a mano limpia o tumbar un helicóptero militar con los dientes.

El mundo de los hombres está lleno de tabúes e imposiciones horribles, y la sociedad machista es precisamente la que impone estos tabúes que todos nosotros permitimos. Uno de ellos, como aprendí más adelante, es mortal.

Llegó a mi oficina un caso enorme de la sociedad cancerológica de Puerto Rico, y junto a ellos realizamos varias campañas, que duraron años, en busca de dar a conocer los distintos métodos de prevención de diversos tipos de cáncer, entre ellos el cáncer de próstata, que constituye más del 40 % del cáncer en hombres a nivel mundial, y cuya tasa de mortalidad es en Puerto Rico de al menos un 18 %. Solo en los Estados Unidos, 30,370 hombres habían muerto por esta enfermedad en el año 2016. Ni siquiera había cifras precisas en el mundo entero, pero era evidente que la cantidad tenía que ser exorbitante.

Desde luego, en otros tipos de cáncer también había cantidades abrumadoras de muertos, pero el de próstata tenía algo particular: era silencioso, y en los casos de muchos hombres se descubría que lo tenían en la autopsia, cuando ya habían muerto, lo cual tiene una razón cultural más que sanitaria: aunque todos saben que existe, nadie quiere hacerse el examen porque este implica que un médico les toque los testículos o la próstata, para lo cual es necesario que el doctor palpe el interior del ano.

Cuando conocí a los individuos que ya habían sufrido la enfermedad, todos decían algo parecido: a todos ellos les habría gustado detectarla a tiempo y no dejar que algo tan horrible les pasara solo por no hacerse un examen de rutina que, según los doctores recomiendan, todo hombre debe realizarse sin excepciones desde los cuarenta años en adelante.

Otro tipo de cáncer que necesitaba más visibilización era el de mama. En este caso, para prevenirlo, es necesario que las mujeres se hagan un examen cada año, y la verdad es que muchas mujeres solo van al médico cuando están enfermas y por eso no previenen las cosas cuando aún es posible detenerlas.

Pensé entonces que este descuido de la sociedad para cuidar de sí misma y para prevenir problemas tan graves que estaban allí en el mundo, era más responsabilidad de nuestra propia conducta como seres humanos individuales que como grupo. Nosotros no prevenimos más cosas, no somos observadores y no estamos pendientes de lo que pasa a nuestro alrededor. Vivimos atendiendo lo urgente y no lo importante, descuidando lo más valioso por estar entretenidos y ocupados. ¿Esta falta de prevención, que brinda el escenario perfecto a enfermedades tan horribles, no es la misma que permite que nuestras relaciones familiares y personales se dañen poco a poco y solo nos demos cuenta de los problemas que debimos atender cuando ya estamos delante de un abogado de divorcio diciendo adiós a esa persona que quisimos, o delante del cajón de ese tío con el que dejamos de hablar años atrás y con el que pudimos ser mejores, o, en el peor de los casos atrapados en nuestro propio cajón, dejando atrás a nuestras familias, amigos y mascotas solo porque no elegimos cuidarnos a tiempo y no fuimos conscientes de que cuidarnos a nosotros mismos también es cuidar a los demás?

Nuestras campañas llegaron a muchas personas, que fueron demasiadas para poder mencionarlas todas. Ahora bien, algo que sé es que nunca serán suficientes y que todas las personas siempre necesitaremos un recordatorio más de todo aquello que debemos cuidar. Por ejemplo, yo necesitaba hacer un examen de mi matrimonio y no lo hice.

Capítulo 21

El castillo de la princesa

A mis treinta años entendí a mis abuelos cuando decían que la vida es tan solo un suspiro.

Cuando creces, adquieres responsabilidades y consigues esa estabilidad que tanto anhelas durante toda tu juventud. El tiempo se acelera y las semanas se convierten en meses, los meses en años, y los años, en una sorpresa difícil de creer. ¿Ya pasó un año? ¿Otra vez es mi cumpleaños? ¿Qué logré este año?

Mi vida profesional era apasionante y no me molestaba estar inmersa en ella. Tantas campañas interesantes, con un carácter humano tan bonito, me convirtieron en una *workahólica* feliz de serlo, pues no hay nada tan maravilloso como encontrar propósito en lo que haces todos los días.

Pero, aunque el tiempo pasara para mí en un abrir y cerrar de ojos, las vidas de todos mis amigos habían tenido grandes cambios cada vez que los veía, lo cual sucedía con mucha menos frecuencia según pasaban los años.

Pepe salió del clóset y formalizó su relación con Johnatan. Sus padres se enojaron mucho, pero a él no le importó:

—La vida es demasiado corta para que me importe lo que piensen los demás —me dijo, encogiéndose de hombros cuando me contó que se iba a vivir con su novio.

Marcela, por su parte, se enamoró de un compañero de trabajo y se casó. Su boda fue uno de los eventos más románticos que pude ver en toda mi vida. Por otro lado, Miguel era más músculo que persona en este momento. Mateo y yo estuvimos de acuerdo en que estaba exagerando, pues tanto músculo ya no era atractivo. Al menos a mí me gustaban más los hombres que tenían un aspecto humano, real. En cambio, Miguel me daba miedo. Cuando miraba sus brazos, me parecía que sus venas iban a explotar y su sangre iba a salir disparada y me sacaría un ojo.

Las veces que se paraba junto a Mateo, me parecía que lo iba a alzar y que golpearía el piso con él como Hulk el Increíble a Loki en *Avengers*.

Finalmente estaba Michael, a quien visitaba para los chequeos, vacunas, y todo lo relacionado con mis mascotas. También su vida se encontraba a punto de dar un giro inesperado:

—Me voy a casar, Vale —dijo sonriente mientras preparaba a Dash, mi pastor alemán, para ponerle una vacuna.

Quizás no fuera un hecho inesperado. Era un hombre bueno, dulce, noble, cariñoso. Lo menos que merecía era una mujer que viera lo maravilloso que era y que estuviera disponible para vivir con él, al menos disponible como yo nunca lo estaría.

Se sonrojó un poco al contarme. A pesar de ser tan confiable, era un poco tímido para hablar de sus sentimientos:

—Llevamos saliendo varios meses. Siento que ella saca lo mejor de mí, me hace ser un mejor hombre.

—No sabes cuánto me alegro por ti; nadie merece ser feliz más que tú.

—Bueno, yo veo lo que tú tienes con Mateo y lo que Marcela y Pepe tienen, y pienso que es hora de que yo también busque mi propia felicidad, ¿cierto? Roxanne es una mujer maravillosa. Ella es agrónoma. Nos conocimos en un seminario de tratamiento para animales de granja y hemos seguido en contacto desde entonces.

—Me alegra, Michael. ¿Cuándo puedo conocerla?

—Si quieres salimos esta misma tarde cuando termine mi turno.

Acepté, y un rato después me encontré con ellos aquí en el mismo consultorio. Ella era una mujer alta, voluptuosa, de las que seguramente hacían voltear a los hombres en la calle. Sentí un raro vacío en el estómago cuando la conocí. Supe que era tonto sentirme mal. Michael y yo solo éramos y solo seríamos amigos, al menos en esta vida.

Iríamos a cenar todos juntos. Llamé a Mateo para que nos acompañara, pero no me contestó. Últimamente no me contestaba al teléfono, y cuando lo hacía estaba de mal genio, aunque yo lo disculpaba pensando que tendría mucho trabajo, que estaría estresado y era mejor no molestarlo.

Parte de mí se sintió tonta: ¿qué tenía Michael para envidiar de mi relación con Mateo? Yo lo había ayudado a salir adelante y lo único que recibía a cambio era un esposo distante al que le encantaba salir, pero no conmigo, sino con sus amigos abogados con los que bebía y bebía.

Aunque no podía decírselo a Michael, a Marcela, a Pepe ni a Miguel, Mateo decía que mis amigos no le agradaban porque no eran inteligentes como los suyos. Él pensaba que necesitaba personas mucho mejores a su alrededor: con más títulos, más dinero, con cargos más importantes… y yo, como siempre, no lo juzgaba, pues era entendible que una persona como él, que venía de un contexto en el que le habían faltado tantas cosas y había pasado por tantas necesidades, se sintiera deslumbrada por el mundo de lujo y apariencias en el que ahora estaba inmerso. Y yo no escuchaba a esa vocecilla dentro de mi cabeza que me decía: "si tus amigos no son *suficiente* para él, quizás tú tampoco lo seas".

Y tal vez era así, tal vez ni siquiera él era suficiente para sí mismo: me pedía dinero para trajes y relojes, y yo era quien mantenía nuestro hogar, quien lo había mantenido desde el principio, pues en ese tiempo él apenas era un estudiante. Pero ahora que era un profesional y ganaba su propio dinero, en lugar de ayudarme se gastaba todo en este tipo de lujos para aparentar "imagen". Decía él: "Tú que trabajas asesorando la imagen de tus clientes debes saber lo importante que es la imagen en esta profesión". Yo no estaba de acuerdo, pero aun así lo apoyaba, pensando que solo era una fase y que él eventualmente despertaría de ella.

Michael, mientras tanto, me llevó a conocer su futuro hogar: la casa que estaba construyendo para Roxanne.

—Esta casa es la casa de los sueños de mi princesa, su propio castillo, el que ella siempre soñó —dijo, mientras caminábamos por un terreno en un buen sector de la ciudad, en el que los trabajadores habían erigido altas paredes de cristal y construían una elaborada estructura que más que una casa, parecía un pequeño palacio de princesa de Disney.

Roxanne abrazó a su futuro esposo mientras el arquitecto vino a saludar acompañado de un joven.

—Don Michael, ¿cómo está usted? —preguntó, respetuosamente. Era un hombre moreno, musculoso y moderadamente atractivo—. Desde mañana empezaremos con la segunda planta, y le recomiendo que vaya escogiendo la madera para la escalera.

—Cedro —dijo Roxanne, con seguridad—. Quiero que sea una escalera de caracol hecha de cedro.

El arquitecto sonrió y me guiñó el ojo:

—Claro que sí, lo que la princesa de Don Michael desee.

Roxanne soltó una risita.

Cuando regresé a casa esa noche me sentí como si me hubieran golpeado con varios bates de béisbol.

Mientras el príncipe de Roxanne contrataba arquitectos y les pagaba miles de dólares para construirle la casa de sus sueños, el palacio de una princesa, yo estaba sola en casa y mi príncipe ni siquiera había lavado los platos sucios antes de irse a pasar toda la noche bebiendo con extraños que le importaban más que su propia esposa.

Michael era como el Maravilloso Mago de Oz: era un ser mágico y, valga la redundancia, maravilloso que haría realidad cualquier deseo de su princesa. Mateo era un hombre de hojalata que ahora tenía menos corazón que cuando lo había conocido por primera vez. Si hubiera deseado evaluar, contemplar, cuestionar nuestra relación, cosa que realmente no quería, hubiera sido obvio que, a diferencia de lo que Michael había dicho sobre Roxanne, yo no había hecho a Mateo una mejor persona ayudándolo con la universidad, alimentándolo ni cuidando de él.

Me pregunté si la advertencia que Michael me había hecho tantos años atrás y que tanto me había enojado entonces había sido más que un intento por estar conmigo: quizás él solo había querido darme un consejo sincero al decir que no debería casarme con Mateo, que me estaba apresurando.

Pero ese es uno de los mayores defectos que tenemos todos los seres humanos: no somos capaces de ver más allá. Cuando estamos demasiado cerca de las cosas, nuestra visión de ellas es tan limitada y miope que tomamos las peores decisiones. En momentos así, las personas que nos quieren intentan aconsejarnos, y ellas pueden ver mucho mejor lo que pasa, pues contemplan los toros desde la barrera. Sin embargo, no hacemos caso, creemos falsamente que nadie conoce mejor nuestras vidas que nosotros mismos, y ese es el engaño más colosal y dañino en el que caemos.

A mí tampoco me agradó Roxanne, si soy sincera. Pensé que una mujer que ama a un hombre no querría que se gastara tanto dinero en un capricho infantil, y que si lo valoraba de verdad no le permitiría construirle el castillo de sus sueños, aunque fuera un detalle para ella. La diferencia es que yo no me atreví a decírselo a Michael. No tenía derecho a hacerlo, no estaba en posición de hacerlo, no me correspondía, y pensaba que criticar a su princesa podría destruir nuestra amistad si él estaba tan enamorado.

A la mañana siguiente lo llamé…

—Michael, me gustó mucho tu casa —le dije.

—Muchas gracias, Vale, sabía que te encantaría. La pasamos muy bien contigo. Es una lástima que Mateo no pudiera venir —dijo—. ¿Cómo está él?

Suspiré.

—Está muy cansado. Trabajó hasta tarde anoche —mentí. En realidad, había *bebido* hasta tarde la noche anterior y tenía una resaca digna de eso.

—¿Cómo te pareció Roxanne? —preguntó, intentando parecer despreocupado, pero supe por su voz que le interesaba saber mi opinión.

Guardé silencio por unos segundos. ¿Debía decírselo? ¿Debía decirle lo que de verdad pensaba o eso me haría ver como si estuviera celosa? ¿Qué tal si mi opinión no era objetiva y en realidad lo estaba?

Me aclaré la garganta y le dije:

—Ella es bonita, pero quiero regresarte el consejo que me diste hace muchos años: no te apresures demasiado y tómate el tiempo de conocerla y convivir con ella antes de... tú sabes lo que quiero decir. Y también cuida tu dinero, Mike, esa construcción es demasiado costosa.

Hubo otro silencio, mucho más incómodo que el primero. Me pregunté si él se sentía tan molesto como yo me había sentido hacía unos años, pero su respuesta fue muy diplomática:

—Gracias por darme tu opinión —dijo, marcando el final de la conversación.

Quise decir más pero no lo hice. Pienso con toda sinceridad que en ese momento mis palabras no hubieran importado en absoluto, y que, así como él pudo ver que me estrellaba con la vida al no seguir su consejo sincero, yo también lo veía a él ignorar la sombra de consejo que había querido darle.

Tres meses más tarde, Michael salió temprano de su consultorio y fue a comprar algunos materiales que faltaban para la construcción.

Caminó durante un rato y luego se dirigió al castillo de su princesa a dejar los materiales allí para que el arquitecto los usara luego. Pero se encontró al arquitecto usando algo más… entre gritos de placer, gemidos y golpeteos en el suelo sucio, cubierto de polvo, tierra y pintura, sobre el que Roxanne estaba teniendo sexo con el arquitecto, musitando groserías y burlas que retumbaban por toda la casa y que retumbarían por meses dentro de la mente de Michael al enterarse que, durante todo este tiempo, Roxanne había sido la amante del arquitecto y había manchado la casa que su futuro esposo construía para ella, con una traición tan dolorosa que Michael se marchó sin decir una palabra.

La dureza de la lección de vida que aprendí con esta amarga historia es una lamentable verdad:

Puede que alguien saque lo mejor de ti, pero eso no significa que tú también saques lo mejor de esa persona, y, además, no todos merecen lo mejor de ti, no todo el mundo es digno de toda tu bondad.

Michael, el hombre mágico que hace los sueños realidad, era un ser que sabía dar a otros, pero que no acostumbraba a recibir nada de nadie, lo que también era un error, algo en su forma de ser, que él tenía que cambiar. Aquel que sabe dar, pero no sabe recibir, no puede tener una relación entre iguales con otros seres humanos y está condenado a sentirse solo para siempre, y a que los cretinos se aprovechen de él.

Acompañé a Michael todo lo que pude; lo vi llorar, gritar, emborracharse en su despecho, sufrir, lamentarse; pero su herida estaba tan abierta que contrató a un psicólogo para que lo ayudara a lidiar con el dolor.

También supe que contrató a otro arquitecto para terminar la construcción de la casa y que más adelante intentó venderla.

Capítulo 22

Inalcanzable

Había una vez un joven cazador llamado Narciso cuya belleza era admirada por todos los que se cruzaban con él: hombres, mujeres, y la ninfa Eco. Sin embargo, él los rechazaba a todos, pues se hallaba perdidamente enamorado de alguien que se encontraba tan cerca, mucho más cerca que cualquier otra alma, y que a la vez se mantenía fuera de su propio alcance...

Entré a la gran galería y me vi brevemente en el espejo para comprobar si estaba bien peinada, si mi atuendo era el adecuado; y seguí caminando hacia los demás asistentes, pero después de dos pasos me detuve y pensé en Miguel.

Él siempre se miraba en los espejos, en las ventanas, y en cualquier superficie que pudiera reflejar ese cuerpazo que tenía y por el que tanto había trabajado. ¿Quién no lo haría de ser él? Si yo pareciera una escultura griega tallada en piedra también me miraría en todas partes, y me sentiría orgullosa de mí misma por haber alcanzado tal perfección.

Yo había visto con mis propios ojos a Miguel moldear su cuerpo entrenando por horas y horas en el gimnasio de la universidad. Más que cualquier persona, Marcela, Pepe y yo habíamos visto, no sin cierto sufrimiento, cómo su disciplina férrea le impedía comer todas las cosas que otros disfrutábamos. Lo vimos rechazar galletas, postres, helados, refrescos, papas fritas, carnes, alitas búfalo y todo tipo de delicias por las que otros babeábamos. Para él, lo más importante era su cuerpo; su fuerza física y su apariencia eran solamente medidores de su esfuerzo y trabajo diario.

Muchas veces me preguntó por mis hábitos, incluso se ofreció a ayudarnos a todos a empezar con el ejercicio y la comida sana, pero entonces no le hicimos caso porque teníamos otras cosas en qué pensar, otras preocupaciones. Pepe lo intentó, sin embargo, no tenía la misma disciplina que él y abandonó el ejercicio después de unos meses. Quizás nosotras también debimos intentarlo porque tiempo después estuvimos casadas y reunirnos a diario con Miguel ya no era una posibilidad. La verdad es que toda mujer alguna vez se ha sentido insegura de su cuerpo.

¿Cómo no estarlo si todos los días ves series, películas, anuncios, videos musicales y en todos ellos las mujeres tienen cuerpos perfectos e imposibles que no podríamos igualar? Lo que en ese entonces no pensábamos era que los hombres también pueden sentir la misma inseguridad, y que uno de nuestros mejores amigos la padecía cada día.

Los entrenamientos de Miguel no eran normales. Diariamente, hacía horas y horas de ejercicio hasta quedar exhausto. Un día se desmayó en el gimnasio después de una larga jornada, y él se lo atribuyó a no haber desayunado bien. Cuando Pepe lo regañó porque en realidad él no podía llamar desayuno a los batidos de proteínas que consumía, a veces como única comida en una jornada, Miguel se enojó y le pidió que no se metiera en su vida.

Nosotros no lo veíamos, pensábamos que simplemente se estaba convirtiendo en un neurótico, pero Miguel estaba inmerso en una horrible batalla contra él mismo: aunque su cuerpo fuera envidiable y todos los mortales nos sintiéramos feos y gordos a su lado, él se sentía gordo y feo, se veía gordo y feo en el espejo, y no podía verse de otra manera; pues tenía un ideal de belleza, un sueño, y le resultaba imposible evitar compararse con esa imagen que representaba lo que quería ser.

Miguel abrió un gimnasio y se convirtió en entrenador, y ayudó a docenas de personas a conseguir el cuerpo que soñaban.

En su trabajo era el mejor en lo que hacía y su cuerpo era una prueba de ello. Participó en concursos de levantamiento de pesas, en triatlón y se coronó como ganador en más de una ocasión. Sus parejas eran mujeres cada vez más atractivas, pero a diferencia de Pepe él no las abandonaba al poco tiempo: sus relaciones duraban meses y a veces años. No obstante, las mujeres siempre lo abandonaban por su carácter cerrado y obsesivo, por estar lleno de reglas y estatutos que ellas no podían seguir, y también por vivir a la sombra de una sombra, de una figura que habitaba en su mente y lo atormentaba: su anhelada perfección física.

Cada uno de nosotros tomó su camino. Yo me casé con Mateo, Marcela se casó con Polo, Pepe se fue a vivir con Johnatan, y Miguel se quedó en el apartamento que antes era de todos. Seguí caminando por el pasillo, pensando en las tardes que solíamos pasar allí, los cuatro juntos, los mejores amigos.

Mientras todos empezábamos nuestras propias familias, Miguel no había tenido más novias en los últimos años. En su lugar, se había entregado de lleno al fisicoculturismo y, cada vez que lo veíamos, estaba más grande que la anterior; y era imposible no notar que la obsesión de nuestro amigo estaba llegando a un punto muy oscuro y necesitaba ser tratado por un profesional. Cuando nos veíamos, percibía algo en sus ojos más allá de su pasión por el entrenamiento. Al mirarse en un espejo ya no parecía satisfecho como antes, ya no estaba orgulloso de sus resultados, y sus nuevos trofeos y medallas no cambiaban ese sentimiento de insatisfacción.

Entré a la sala número siete.

Marcela y su esposo estaban allí, con sus rostros serios e inexpresivos, el de ella seguramente ocultando un huracán de emociones que no podría expresar ahora ni porque quisiera hacerlo. Así no era Marcela, ella necesitaba tiempo para asimilar sus propios sentimientos.

Busqué a Pepe con la mirada y lo vi recostado contra la cornisa de la ventana abierta, en la que se posaba el sol del atardecer. Su traje negro lucía aún más negro a contraluz y lo hacía ver más delgado, como un espantapájaros colgado perezosamente en el campo. Quise acercarme, pero había muchas personas en medio y aún no estaba lista.

Miré hacia atrás como si esperara encontrar la compañía de alguien, pero sabía que no encontraría a nadie, pues Mateo estaba en uno de sus repentinos viajes de negocios. Me había enojado mucho con él esta vez, y ahora me sentía más enojada que de costumbre, pero de un momento a otro noté que su compañía no era la que necesitaba en este instante. Quería ver a Miguel, quería sentir que se hallaba a mi lado, pues me sentía desprotegida.

En mi grupo de amigos éramos dos chicas, un hombre flaco y Miguel. Estar junto a él siempre me había hecho sentir segura: era como tener de tu lado a un gigantesco y valiente león que no solo te defendería, sino que también evitaría que alguien se acercara, por su presencia magnífica e imponente. Miguel siempre había sido un símbolo de seguridad y protección para todos nosotros.

Me obligué a mí misma a avanzar hacia el centro de la sala número siete, forzando a mi cuerpo a dar paso tras paso, a mantener una expresión seria, mientras a medida que me desplazaba una realidad devastadora caía sobre mí con el peso del mundo entero, un mundo del que no me creía capaz de levantar y que amenazó con aplastarme y partirme en pedazos.

El joven cazador Narciso se había obsesionado con el reflejo que contemplaba en el estanque. Incapaz de tocarlo, implorando su compañía y entre sollozos de dolor, desamor y ausencia, cayó en la oscuridad de las aguas, murió ahogado, y su cadáver fue encontrado a la mañana siguiente…

Miguel había fallecido la noche anterior tras sufrir un infarto causado por los esteroides y las bebidas energéticas.

Me derrumbé al ver su rostro por última vez.

Capítulo 23

Mi alma gemela

—¿Qué tanto tienes que estar haciendo donde el pendejo ese en Navidad? —dijo Mateo por teléfono, agresivo y sin notar que mi voz temblaba.

—Dash se enfermó —le repetí por quinta vez—. ¿Te cuesta mucho entender? Michael es el médico de Dash. Estoy asustada. Por favor, ¡hoy no hagas esto!

Resopló con desprecio.

—Tú crees que yo soy estúpido y que me voy a dejar de ti, pero me las vas a pagar por esto —dijo. Cada una de sus palabras se sintió como un puño.

Yo percibía su rabia cada vez que hablaba, pero esto no era nuevo. Era el día a día de una pareja después de diez años de casados. Solo celos, desconfianza, control y gritos.

Le colgué el teléfono; no como un acto de violencia, sino de vergüenza. Michael se hallaba a pocos metros y estaba segura de que los gritos de Mateo llegaban hasta él. Era humillante vivir lo mismo de siempre una vez más: mi esposo gritándome y prohibiéndome el contacto con otras personas.

¿Por qué tenía tantos celos de Michael? ¿Quizás porque él era un hombre mucho más refinado y caballero de lo que Mateo jamás en toda su vida podría ser? ¿Qué le importaba a él si hablaba con el médico de mi perro? ¿Qué le importaba a él si yo tenía un amigo? ¿Alguna vez le había dado el más mínimo motivo para desconfiar de mí? ¿No se le ocurría pensar que si yo quería engañarlo no le diría dónde estaba y mucho menos me llevaría al perro conmigo?

Pero así funcionan los celos, son irracionales. En la mente de un celoso todo lo que la otra persona haga es una forma más de despreciarlo o de burlarse de él: si yo quería ver a Marcela era porque ella era más importante para mí que él; si pasaba una tarde con mis padres; era para hablar mal de él; si veía a un cliente era porque me había enamorado, o si alguien solicitaba mi ayuda era porque esa persona estaba intentando acostarse conmigo y yo era demasiado tonta para verlo; y, por supuesto, si venía al veterinario era para tener, sobre la camilla, sexo desenfrenado con Michael mientras los pájaros, gatos, conejos y perros del consultorio nos miraban aterrados por nuestra promiscuidad. Y Dash, mi labrador chocolate que era la verdadera razón por la que había venido a ver a Michael, era mucho más importante que Mateo porque, en sus palabras, hasta un perro era más importante que él.

Lo que más me hacía enojar era su narcisismo. Según Michael, yo prefería a mi amiga que a él, hablaba con mis padres sobre él, y buscaba a mis clientes para engañarlo a él con la intención de herirlo. Porque todo en mi vida giraba en torno a él, para hacerle bien o mal. Pero yo no era capaz de existir para mí misma, no era un ser independiente sino un miembro gangrenado de su carne, que se le había caído.

En los primeros años de nuestra relación intentaba proporcionarle seguridad, hacerlo sentir que era suya, que jamás me perdería. Marcela no estaba de acuerdo con mi forma de atacar el problema:

—¡Te está manipulando! —exclamó ella, furiosa, varios años atrás cuando le conté una de las primeras veces que sus celos me habían hecho pasar alguna vergüenza como la que hoy pasaba con Michael—. Él no se siente inseguro, creo que está muy seguro de lo que está haciendo. Es un narcisista que piensa que el mundo entero gira en torno a él. ¡No dejes que te ponga culpas encima!

Por supuesto, yo no la había escuchado.

Cuando regresé al consultorio de Michael, este ni siquiera me miró. Él no quería que me sintiera avergonzada y por eso fingió que seguía revisando a Dash, y ese acto de misericordia me quebró.

Caí en la silla y rompí a llorar. Michael sostuvo mi muñeca por un momento y luego siguió revisando a mi perro en silencio. Él suponía que no había nada que decir. Yo era una mujer atrapada en mi infierno diario y nadie podía sacarme de ahí, al menos no mientras siguiera creyendo que era posible que las cosas cambiaran. Soñaba con tener de vuelta al hombre con el que me había casado, y estos últimos años habían sido una constante espera de una circunstancia ajena a nosotros que arreglaría las cosas. Mi llanto en ese momento era el de una mujer que se debilitaba al comprender que no habría olla de oro al final del arcoíris.

En ese momento recordé todas mis expectativas de un futuro que jamás había llegado:

—Nuestra relación mejorará cuando él entre a la universidad y sienta que tiene un propósito para vivir —dije en voz alta. Michael me miró—. Pero ahora estoy demasiado ocupada por trabajar el doble y casi no puedo verlo… Nuestra relación mejorará cuando él termine la universidad y yo no tenga que trabajar tanto. Entonces él y yo seremos iguales, y estaremos juntos contra el mundo.

Michael abrió la boca como si quisiera decir algo, pero no lo hizo. Yo continué:

—Pero él necesita un posgrado, un máster, trajes costosos, relojes y lujos para estar a la altura de sus colegas. Seguiré ayudándolo y nuestra relación mejorará cuando él logre estar donde quiere estar. Es una lástima que ahora no tendrá tiempo para mí… Quizás eso hará que los pocos momentos que tengamos juntos sean más especiales.

Michael se sentó a mi lado, aún sin decir nada.

—Hoy no tuvimos un momento especial, quizás mañana; pero cuando estuvimos juntos, él estaba desconectado de mí hablando con otras personas en su teléfono. A lo mejor deba poner de mi parte y contarle cosas sobre mí, pero parece que no le interesa, que ni siquiera sabe lo que le digo; no me está escuchando, responde por responder. ¿Debo preguntarle cómo estuvo su día?

Dash gimió suavemente en la camilla y Michael se levantó para tocar su pelaje.

—Le pregunto y me hace sentir que yo no entendería lo que está diciendo porque soy bruta, porque no soy un abogado con máster como el que él tiene. Me hace sentir cada vez más pequeña, pero dejo que lo haga, lo permito por considerada, porque quizás está cansado, aunque no parece cansado cuando se va un par de horas después a beber con sus amigos. Ya ni siquiera se molesta en justificar sus salidas diciendo que son relaciones públicas. Solo sé que la pasará muy bien, que se divertirá como no se divierte conmigo. Y nuestra relación estará bien otra vez más adelante cuando... ¿Cuándo qué?

Rompí a llorar sin reservas. Dash movía la cola como si quisiera mostrarme su apoyo y hacerme saber que siempre estaría a mi lado, que siempre me cuidaría. Michael me miró con tristeza, abrió la boca de nuevo, pero no se atrevió a hablar. Me acerqué a mi perro y acaricié su suave pelaje, que ya no era tan suave como años atrás cuando era un cachorro.

Le besé el cuello y pensé que solo había una cosa en la que Mateo había tenido razón toda la vida. Yo amaba más a mi labrador chocolate de lo que lo amaba a él. Dash era lo más preciado para mí desde mi adolescencia. Mis padres me lo habían regalado en mi fiesta de quince años y yo lo había visto crecer. Él era la primera cosa que había estado bajo mi cuidado y bajo mi responsabilidad. Yo lo alimentaba, lo llevaba al baño, lo bañaba, lo llevaba a dormir, y él me cuidaba, me consolaba cuando estaba triste, me subía el ánimo con su ternura, con su alegría, con su forma de ser, tan especial. Solía decir que Dash era mi alma gemela.

Ahora se encontraba débil, y aun así su mirada estaba clavada en mis ojos, y su tibio aliento sobre mi brazo me reconfortaba.

—Abrázalo, Valentina —dijo Michael de repente, acariciando la pata de Dash. Levanté la mirada, con miedo. No me había gustado su tono.

—¿Qué pasa? —pregunté con voz seca.

Él rodeó la camilla y me abrazó con fuerza. Entonces entendí por qué no había musitado palabra desde hacía horas.

—¡Por favor, no! ¡Todo menos esto! —grité, destrozada.

—Dash está viviendo sus últimos momentos, Vale. Abrázalo, no dejes que se sienta solo.

—¡No es cierto! ¡No puede ser cierto!

Pero aun así le hice caso. En el fondo sabía que era cierto. Dash estaba muy viejo. Había vivido conmigo en casa de mis padres, en el apartamento con mis amigos, y en mi casa con Mateo.

Lo abracé con todas mis fuerzas y me recosté sobre él. Michael se quedó sentado allí, acompañándonos. La música navideña que llegaba desde la cuadra del frente jamás en la vida me resultó tan dolorosa como esa noche. Esa noche se murió mi alma gemela, se murió mi mundo entero…

Ese diciembre fue el peor de mi vida. Primero Miguel y ahora Dash… ¿qué más tenía que perder?

Capítulo 24

¿Por qué no te marchas?

—¿Por qué no se fue? ¡Yo me hubiera ido de ahí! —Es la frase que todas las personas dicen sin pensar cuando escuchan un caso de violencia doméstica.

Hace años trabajé en una campaña masiva que consistía en impulsar a las mujeres y los hombres que sufrían abuso, maltrato, violencia física o psicológica, o amenazas por parte de sus parejas o familia, para que denunciaran a sus victimarios y salieran de situaciones de riesgo. En ese entonces pude medir la magnitud de este problema social y entender por qué en un mundo contemporáneo, que finge ser empático y condenar tales escenarios, aún es tan difícil eliminar el problema.

—No, es posible que no. No es fácil —sería mi respuesta a esa frase cliché después de aprender sobre el tema—. Quizás ni siquiera lo notarías, quizás vivirías en negación, quizás tardarías meses en reunir las fuerzas necesarias para irte. No es nada fácil, y ridiculizar a las víctimas haciendo parecer que lo es no ayuda en nada.

Lo primero que aprendí sobre la violencia doméstica es que es un mal invisible, no solo porque "la ropa sucia se lava en casa", como dice el dicho, y es muy complicado para las instituciones detectar y comprobar situaciones de abuso que no se denuncian, sino porque las víctimas son las primeras en pasar por alto las circunstancias a las que son sometidas y, en caso de notarlas, son las primeras en optar por ignorarlas, perdonarlas o dejarlas ir.

Katherine era una joven de veintitrés años que vivía con su novio. Este la encerraba en el apartamento cada vez que salía, como si se tratara de un animal en el zoológico, y ella pensaba que él era "un poquito celoso".

Betty abofeteaba a Alejandro cada vez que él llegaba tarde a la casa, miraba a otra mujer, olvidaba hacer algún mandado o cuando discutían. Él pensaba que "se lo merecía" y consideraba que la violencia estaba permitida si era de la mujer hacia el hombre.

Nelly recibía azotes de su esposo Anselmo cuando "se portaba mal"; y ella pensaba que eso era normal, ya que su padre también la azotaba cuando era niña. Mariana le lanzó el casco de la moto a Jonás y si él no se hubiera agachado, quizás no habría contado la historia.

Giovanna tenía las contraseñas de las cuentas de correo y redes sociales de Juan y las revisaba constantemente. Él, por el contrario, no tenía acceso a las de ella. Giovanna podía llevar una vida privada, pero él no, y él pensaba que eso era normal porque según ella "todos los hombres son iguales" y "solo piensan en una cosa". Julián le decía a Paula que su camisa estaba fea, que su falda era de puta, que sus gustos eran estúpidos, que estaba gorda. Ella pensaba que él solo "expresaba su opinión" y decía que ella haría lo que fuera por hacerlo feliz.

Fernanda humillaba a su esposo Daniel delante de otras personas. Lo insultaba, se burlaba de él, se quejaba de él y le decía cosas feas en público. Ella pensaba que eso era normal porque sus padres se trataban así, y no pudo notar que Daniel desarrollaba problemas de ansiedad cada vez más serios que lo llevaron al suicidio.

Carlos empezó a darle empujones a Juana cuando se enfadaba. Él no consideraba que esto fuera violencia porque no lo hacía con el puño cerrado… Ella lo perdonó la primera vez, luego la

177

segunda y la tercera, sin saber que años más tarde recibiría una brutal golpiza de su parte.

Conocí demasiados casos, y muchos de ellos terminaron con personas muertas, discapacitadas, o encerradas de por vida.

—Encerrados y enterrados —dijo Ivonne, cuando le confesé mi desconcierto.

Lo que más me aterró de esta campaña fue la reacción que tenían las personas: la mayoría de ellas, tras pensarlo, confesaba haber sufrido violencia doméstica alguna vez en la vida, de parte de padres, parejas, e incluso de profesores o jefes, pero no lo habían considerado así hasta entonces. Las docenas de víctimas a las que entrevisté concordaron en que nadie nota que es víctima hasta que la situación ha evolucionado demasiado; como si se tratara de una enfermedad que solo puede detectarse cuando los síntomas ya son visibles.

Más adelante, cuando el abuso es evidente, las víctimas temen denunciar, ya sea por las represalias del perpetrador o por su situación social. Los hombres son los menos propensos a la denuncia debido a lo que representa dejar saber al mundo que sufren algún tipo de maltrato; sin embargo, las mujeres tampoco denuncian con mucha facilidad porque para hacerlo deben asumir algo muy doloroso, que es aceptar lo que están sufriendo.

En esa época yo, en carne propia, supe lo difícil que era tomar una decisión.

Mientras lidiaba con la muerte de Miguel y de Dash, por primera vez decidí que mi deber era cuidar de mí misma si es que quería sobrevivir y no terminar como Daniel. Aprendí a ignorar a Mateo, a dedicarme a mi trabajo sin tener expectativa alguna en mi matrimonio. Compré otra perrita labrador chocolate para reemplazar a Dash y la llamé Valeria para que ella y yo fuéramos Valeria y Valentina, y luego tuve que adoptar a una segunda perrita llamada Luciana para que acompañara a Valeria cuando yo no estuviera, pues ahora pasaba gran parte de mi día lejos de casa. Ellas me hacían sentir bien allí, aunque me pusiera tensa cuando estaba cerca de Mateo.

Él parecía molesto con mi cambio de actitud, pero ya no me importaba. Parte de mí sabía que estaba en tiempo prestado, esperando…, aunque no sabía qué esperaba.

Me pregunté cuántas de estas personas que habían terminado muertas o con heridas permanentes habían esperado por completo, sin saber que era la vida la que esperaba por ellas.

Leí esta frase en una de las campañas:

"A veces la vida solo te espera, espera a que tomes una decisión."

Esa decisión llegó unos meses más tarde, en Navidad.

Capítulo 25

Navidad

Un año esperé desde la muerte de Dash, un año de negación, incapaz de aceptar que mi matrimonio había muerto.

Era Navidad de nuevo, y una tormenta cayó sobre mí. Como siempre, no todo se desarrolló en un solo momento, sino a lo largo de un cúmulo de momentos.

Mateo seguía saliendo de manera descarada con sus amigos, ignorándome. Solo me trataba cuando encontraba algo mal en el mantenimiento de la casa. Allí yo era la estúpida que no podía ni siquiera mantener un orden en casa mientras él trabajaba duro, como si yo solo mirase al techo todo el día.

Una semana antes de Navidad decidí salir a hacer un par de compras de último momento, un par de regalos para mis padres y el regalo obligatorio para Mateo. Sabía que si obtenía un regalo de él sería mucha cosa, pero si no le daba algo se sentiría ofendido en lo más profundo, asumiría una actitud digna de una diva de Hollywood, y en ese momento lo que menos quería era más drama en mi vida. Me encontraba en un café, descansando del ajetreo de las compras cuando vi una figura vagamente familiar: Rosa, mi compañera de universidad.

Nos habíamos distanciado poco antes de que terminase la carrera porque ella había abandonado sus estudios. Rosa me reconoció y, sonriente, se acercó a mi mesa a saludarme.

—Pero, ¡mira a quién tenemos aquí! Valentina, ¡dichosos los ojos que te ven, preciosa, sexy, bella!

—Rosa, qué bueno verte. ¡Estás cambiadísima! —yo recordaba a una chica hippie que llevaba el pelo corto, de un color rosa chicle. Algunos tatuajes eran visibles en sus brazos y en su pecho, y un *piercing* le adornaba la ceja izquierda. Su ropa aún emanaba vibras *hippies*, pero era algo más sofisticada, como si fuese una gurú de la nueva era o algo parecido.

—¡Ja! Solo di que estoy más vieja. Tú también estás cambiada. ¿Qué hiciste con tu vida?

—Lo normal. Terminé la universidad, me casé, me especialicé, tengo mi empresa y dos perritas adorables que son el amor de mi vida. ¿Y tú qué? ¿Cómo es que no volví a saber de ti? ¡Desapareciste de la faz de la tierra!

—La universidad no era lo mío, así que me fui de mochilera por Asia. Estudié con gurús meditación y yoga. Me encontré a mí misma, encontré mi camino. Me di cuenta de que el camino heteronormativo que nos han enseñado no siempre es la solución. Soy maestra, pero sigo viajando como estudiante.

Modifiqué mi opinión: Rosa no había cambiado en absoluto. Me sentí feliz de verla y escucharla hablar así.

—Suena interesante el haber viajado. ¿Te casaste o tienes pareja?

—Linda, me tengo a mí misma; eso es más que suficiente. No soy una media naranja para nadie, soy el frutero completo. Eso no significa que ande solitaria. Encontré mi rumbo. Lo que no he hallado es a un buen compañero de viaje. Fue un error tratar de encontrarlo a toda costa. Lo mejor de la vida es disfrutar el recorrido. A veces encontramos personas pasajeras que van con nosotros un rato, pero eso no significa que tengan que quedarse para siempre. ¿Con quién te casaste? ¿lo conocí?

—Sí, de hecho, me casé con Mateo. Nos conocimos luego que volví de Australia.

—Veo, ¿y eres feliz?

—No me quejo —mentí, y miré la cajita con sobres de azúcar en el centro de la mesa. Sí, me quejaba y no era feliz, pero me daba pena aceptarlo así fuera un fracaso muy tangible en mi vida.

—No te quejas, pero podría ser mejor, mucho mejor, ¿eh? Vale, tú siempre tan correcta y educada. El camino lo recorremos nosotros, no somos el pasajero, somos el conductor del vehículo y si no nos gusta algo, podemos tomar otra ruta. Te dejo, hermosa. Un placer verte.

—Gracias, Rosa. ¿Podríamos quedar para vernos otro día?

—Claro, solo que mañana vuelvo a viajar. Me iré a vivir a la Patagonia con un nuevo amigo. O si quieres puedes venir conmigo y pasar el Año Nuevo.

—Sería genial aceptar tu invitación —En ese momento pasar Año Nuevo con mi marido me pareció la cosa más lamentable del mundo. Irme de improvisto a la Patagonia sonaba mucho mejor—. Pero creo que necesitaría planear mucho antes para no dejar algunos compromisos que tengo. ¿Cuándo decidiste irte a la Patagonia?

—En la mañana.

—Eso es muy poco tiempo para planear las cosas.

Soltó una larga carcajada.

—Hermosa, la vida tiene muy poco tiempo para planearlo todo. Además, las cosas que uno planea también salen mal, ¿para qué perder el tiempo aquí? —dijo, tocando su frente con el plástico mezclador del café.

Me guiñó un ojo y se fue dejándome con muchas más preguntas. Me hubiese gustado poder ser Rosa en ese momento, simplemente decidir a último instante lo que quería hacer y hacerlo. Pero yo no era Rosa; yo tenía un trabajo y una familia por la cual responder, no podía dejar a mis mascotas tiradas de un día para otro.

* * *

Era el día de Navidad en la mañana. Los regalos estaban bajo el árbol y la casa decorada. Una deliciosa cena sería cocinada en el horno, a tiempo para festejar. Mateo había estado trabajando en el estudio, haciendo llamadas a clientes antes de que cerrara el año. Yo iba de un lado a otro preparando todos los detalles, limpiando hasta el último rincón para recibir invitados y disfrutar de la Navidad.

Sentí que la puerta principal se cerró de un solo golpe, fui a mirar y vi que Mateo había salido. No era raro que saliera sin decir ni una sola palabra. Era perfecto, con eso me daría tiempo de aspirar todo el piso del apartamento sin tener que molestarlo en sus llamadas. Me puse en la labor. Al llegar a la puerta del estudio, la aspiradora empezó a hacer más ruido indicando que en el suelo había más mugre para ser recogido. Entré al estudio y me concentré en aspirar el tapete, limpié un poco el polvo sobre las repisas y sobre la mesa. Eso hizo que la computadora de Mateo se encendiera. La pantalla mostraba la bandeja de entrada de su correo. El último mensaje llamó mi atención.

FW: Como seguir si...

No quería mirarlo, era una invasión a la privacidad. El título se cortaba justo allí, pero algo dentro de mí tomó el control y abrí el correo.

FW: Como seguir si tú existes.

Por supuesto. Ya sabes donde vernos

Yury.

El contenido del correo original se mostraba más abajo y decía:

Preciosa, pienso todos los días en ti. Tu cuerpo, tu piel me hacen suspirar.

¿Cómo olvidar el tacto de tu piel desnuda bajo la mía? Sin ti no soy nada.

Quiero verte hoy. ¿Me darás mi regalo de Navidad?

No era el único correo. Seguí bajando y me encontré con una larga cadena de mensajes en los que era muy obvio que Mateo estaba teniendo una relación con una tal Yury. Salí del mensaje.

Mi interior no procesaba aún lo que había leído, y mi mente insistía en que continuara leyendo hasta que lo comprendiera y asimilara.

Seguí leyendo entre los demás correos. Entremezclados con mensajes de clientes del trabajo, había varios correos similares, algunos de meses atrás. Siempre una mujer diferente; Sonia, María, Karla y Tatiana.

Ahora cobraban sentido sus constantes salidas con compañeros de trabajo, sus viajes repentinos y sus llamadas privadas a clientes. Por primera vez se me ocurrió pensar que nadie tiene reuniones de trabajo a la medianoche.

Algunos mensajes con notificaciones que llevaban a su red social mostraban perfiles de mujeres más jóvenes y muy bien formadas que le habían enviado fotos sugestivas o mensajes subidos de tono. Él les respondía, las animaba y hasta les remitía fotos de su miembro.

Me sentí asqueada. Imprimí varios mensajes, y mandé copias a mi correo. ¿Por qué quería tanta evidencia? ¿Acaso estaba intentando forzarme a mí misma a comprender y dejar de vivir una fantasía? ¿Quería usar esos mensajes para poner mis pies sobre la tierra?

Seguí indagando. Más y más mujeres aparecían, y pronto llegué a otras que no eran solo mujeres que conseguía por internet: había también prostitutas y *strippers* que al parecer le habían costado una fortuna.

Ahora tenía sentido que colaborara con tan poco dinero para nuestra casa.

Estaba pasmada. No era solo enojo y decepción. En realidad, era como si siempre hubiera sabido todo esto. Sus conversaciones se remontaban a varios años atrás, cuando nuestro matrimonio prácticamente estaba empezando.

Mateo llegó unas cinco horas más tarde, apestando a alcohol y a lo que juraría era jabón de motel barato. Seguro que había intentado borrar de su piel cualquier rastro de Yuri.

—¿Dónde estabas? —le pregunté cuando ingresó a la cocina.

—¿A ti qué te importa?

—¿Por una vez en tu vida puedes pretender que soy TU ESPOSA y puedes contestar a mis preguntas?

—¡Ya, basta! ¡Deja de ser una loca posesiva y celosa! Estaba trabajando.

—En Navidad. ¿Y con qué cliente?

—Uno nuevo.

—Con Yuri.

El color se fue de su rostro.

—¿De qué hablas?

—¿De qué hablo? Creo que lo sabes muy bien.

—No. No tengo ni idea de qué hablas.

—No me mientas, Mateo, estabas con una Yuri, lo sé. ¿Vas a negármelo en mi propia cara?

—Valentina, deja de ser una loca celosa.

—No son celos. Es la verdad.

—Son tus celos irracionales. Para ti siempre estoy con otra —Con toda la calma del mundo abrió la nevera y sacó una cerveza, la destapó y se retiró hacia la sala.

—¡NO! ¡MENTIROSO DE MIERDA! —le grité—. ¡PARA TI YO SIEMPRE ESTOY CON OTROS ASÍ SEPAS EXACTAMENTE DÓNDE ESTOY Y CON QUIÉN, PERO TÚ ERES EL QUE LO HACE TODO EL TIEMPO Y YO SOY LA ESTÚPIDA QUE APENAS SE DA CUENTA!

—¡Deja de hacer un *show*, Valentina! ¡Mírate nada más! ¡Mírate en un espejo! ¡Estás completamente loca! —dijo y se fue hacia la sala.

—No me ignores cuando te hablo. Te estoy diciendo que sé que me engañas, que lo descubrí todo. ¿Qué dices al respecto?

Se sentó en el sofá y prendió la televisión. Me molestó aún más cuando subió sus zapatos sobre la mesa de centro y ensució la superficie que acababa de limpiar.

—No sé de qué hablas —Tomó un largo sorbo de su cerveza y sin responderme empezó a cambiar de canal.

Fui a la cocina y saqué del cajón los correos que había impreso. Volví con ellos en la mano y se los lancé.

—¿Qué demonios te pasa?

—¡Eso! ¡Eso me pasa! —Yo señalaba los papeles.

Al contrario de la reacción que esperaba en la que pedía perdón o reconocía que se había equivocado, Mateo estalló. Se levantó bruscamente de la silla, derramó la cerveza y me tiró los papeles por la cara.

—¡ESTO ES UN ABUSO A MI PRIVACIDAD! ¡NO TIENES DERECHO A REVISAR LA CORRESPONDENCIA NI LAS CONVERSACIONES DE OTRA PERSONA! ¡ESTÁS ENFERMA, VALENTINA! ¡ERES UNA PSICÓPATA!

—¿ENFERMA? ¿Lo dice el que me cela con mis propios padres, con mis amigos y hasta con mi perro muerto? Ahora por PRIMERA VEZ yo soy la que te acusa. Estás diciendo que YO soy la enferma, y yo SÍ tengo PRUEBAS. Y me acabas de confirmar que vienen de tu correo personal.

—¡ERES UNA LOCA OBSESIVA! ¿CÓMO MIERDA ENTRASTE A MI CORREO?

—Tú mismo lo dejaste abierto por salir corriendo detrás de esa cualquiera.

—¡Pues no tendría que salir corriendo detrás de una cualquiera si tuviera lo mismo en casa! ¡ESTO ES TU CULPA! ¡TÚ ERES LA QUE SEMBRÓ TODO ESTO AL SER UNA MIERDA DE ESPOSA!

—¡Tienes lo mismo en casa, pero hace años no me tocas ni me miras, más allá de criticarme todo o exigir que te dé cosas!

—¡Muy esposa y todo lo que quieras, pero es tu culpa! ¡Si tú no te hubieses puesto como te pusiste!

—¿Cómo se supone que me puse? —No podía creer lo que escuchaban mis oídos.

—¡Cómo una VACA! ¡Nadie podría desear estar contigo! ¡Semejante cerda que solo engorda! ¡Déjame adivinar! Tú eres el jamón de Navidad, ¿verdad?

Mi mano voló a su mejilla y dejó una marca roja. Sus ojos se salieron de órbita mientras se carcajeaba con cinismo.

—¿No puedes aceptar la verdad? Eres indeseable, ni el hombre más ciego podría disfrutar estar contigo. El más necesitado preferiría estar con un animal muerto antes que contigo.

—Se acabó —murmuré.

De no creerlo, pero mi voz le cerró la boca como lo hubiera hecho un golpe.

Entendí que el hombre con el que me había casado había desaparecido, o quizás nunca había existido en absoluto. Solo hasta ese momento vi la magnitud de mi realidad. Pensé en todas aquellas personas a las que había ayudado en situaciones de violencia, y aquí estaba yo. Mi esposo me gritaba cosas terribles después de yo descubrir que me había engañado quien sabe por cuánto tiempo.

Normalmente, tras eso seguía el momento en el que yo lo perdonaba e intentaba arreglar las cosas con él; pero los rostros de todas las mujeres que había conocido estaban frente a mí cuando me retiré de la sala oyéndolo balbucear lo que era un intento de disculpas que yo no escucharía.

Cerré la puerta y lo oí hablar afuera; pero, en realidad, yo no lo estaba escuchando.

—Bajaré más tarde a hablar. No nos apresuremos a tomar decisiones ni a decir nada más que no debamos —le indiqué simplemente.

Supe que dijo algo dulce a través de la puerta antes de irse. En ese momento saqué mi teléfono celular e hice una llamada.

* * *

Un par de horas más tarde bajé silenciosamente y sin que él se diera cuenta. Puse a los gatos dentro de sus jaulas y los saqué de la casa.

Lo vi pasar cerca de mí, y me miró con esos ojos de cachorro que ponía cuando estaba listo para hacerse la víctima.

—Perdón por exaltarme, cielo —le dije.

—Perdóname tú también —respondió.

—Espérame en la sala. Quiero darte tu regalo de Navidad antes de la medianoche.

Asintió con la cabeza y me esperó.

Tomé el anuncio de una lavandería que había sobre la nevera y escribí en él.

Después de eso, le puse los collares a mis dos perros. Salí por la puerta trasera y los dejé amarrados a la manija.

En ese momento fui a la sala y miré fijamente a Mateo a los ojos.

—Tus invitados estarán aquí en poco tiempo —le comuniqué—. Por eso, preferiría que esto fuera breve.

—¿Qué quieres decirme, Vale? —preguntó.

—Quiero terminar con esta pelea ahora mismo, antes de que llegue la visita. Eso es todo lo que quiero. ¿Hay algo que tú quieras decirme?

Miró hacia el piso, intentó articular sus ideas, pero negó con la cabeza. En ese momento hubiera podido admitir lo que había hecho, aceptar que era su culpa, y después de esto decir que lo sentía, pero nada de eso pasó. Me quedé esperando un par de minutos, y nada de eso llegó. Yo sabía que así sería.

—¿Está todo perdonado? —le pregunté.

Él frunció el ceño, confundido porque yo le estuviera pidiendo disculpas. Asintió con la cabeza.

—Sé que no lo está, pero con un poco de tiempo estará todo perdonado y tendremos la vida que merecemos.

Se levantó de la silla y se apresuró a abrazarme, contento, aliviado de que yo aún quisiera luchar para que tuviéramos la vida que merecíamos. Lo abracé. Durante un largo rato lo abracé.

Cuando nos separamos, lo miré un rato más.

—Me estás poniendo nervioso.

—No pasa nada. Ahora cúbrete los ojos que voy a darte tu regalo de Navidad.

Él lo hizo. Nunca era tan dócil, pero en un momento como ese no podía decirme que no a nada. Cerró los ojos y yo le cubrí la cabeza con su chaqueta.

Con la visión cubierta, las manos temblando ligeramente, y el sentimiento de que algo abrumador estaba a punto de pasar, Mateo seguramente esperó varios segundos que se convirtieron en minutos, solo para escuchar abrirse el ruido de la chapa y luego volverse a cerrar.

Entonces, debió quitarse la chaqueta y abrir los ojos, buscándome, pero lo único que encontró de mí fue la nota que yo había escrito al respaldo del anuncio de la lavandería.

La nota decía así:

Han pasado muchos años desde que nos conocimos. Cuando recuerdo a ese muchacho que encontré en aquel evento, ese que parecía frío y sin emociones, el que producía la impresión de estar buscando un corazón, me lleno de nostalgia. ¿Cuánto hemos recorrido juntos desde entonces? ¿Acaso aún somos las mismas dos personas que se conocieron ese día?

Antes creía que las personas estábamos ahí para estar unidas y formar equipo con otras, pero ahora entiendo que eso no es posible, pues no todos nos dirigimos a un mismo destino. Creía también que debemos dar lo mejor de nosotros mismos por los otros, sin entender que yo también soy una persona y necesito de mi propio amor, de mi propia comprensión y de mi propia ayuda. Soñaba con ser un nosotros, pero ahora entiendo que no hay un nosotros sin que primero exista un yo.

Quiero terminar con esta pelea, tal y como te dije, terminarla para siempre.

¿Sabes? Esta decisión no responde a un impulso, y tampoco la estoy tomando sola. Miles de personas están en mi cabeza en este momento, dándome la fuerza para dar este paso, para tomar esta decisión. Le fallaría a los maestros, cuyo trabajo no sería valorado si me quedara conviviendo con una persona que jamás valoró mis esfuerzos por sacarlo adelante, por sacar adelante esta relación, y por sacar adelante los sueños de dos personas arrastrando a una de ellas; le fallaría a los pacientes del VIH si no fuera capaz, en este preciso instante, de valorarme a mí misma por encima de lo que te valoro a ti, de lo que valoro nuestro matrimonio y todos los años que tuvimos juntos; si no fuera capaz de cuidar de mí como todos ellos tuvieron que cuidarse al perder el apoyo de los demás; le fallaría a todas las víctimas de la violencia intrafamiliar que conocí si me quedara voluntariamente en un matrimonio violento que solo me ha hecho daño. Si les dije a todos ellos que se liberaran de sus yugos y denunciaran a sus verdugos, lo mínimo que puedo hacer es aplicar lo mismo para mi propia vida.

Cuando abras los ojos no me verás aquí. De hecho, no me volverás a ver en toda tu vida. Esa es la última promesa que te hago. Abrirás los ojos a un mundo en el que yo ya no existo más para ti.

Si intentas buscarme no me encontrarás, y si tenías algo que decir debiste hacerlo cuando pudiste. Quizás no lo entiendas, pero la vida es cambiante, todo es perecedero, y lo que puedes hacer hoy no podrás hacerlo mañana.

Este es mi regalo de Navidad: quitarte mi corazón. La única persona que merece ese corazón que te di, soy yo misma, y por eso ya nunca lo tendrás.
Solo me queda una última cosa para decirte:
Vete a la mierda, hijo de la gran puta.

* * *

Los perros y los gatos me esperaban afuera, y también una gran maleta con todas mis cosas. Caminé media cuadra para encontrarme con la camioneta de la persona a la que había llamado hacía un rato:

—Vale, felices fiestas —dijo Michael—. Perdón, no debí decir eso.

Reí.

—Te equivocas. Estas sí que son felices fiestas —le dije, y cuando Mateo salió de la casa, no quedaba ni siquiera el rastro de la camioneta.

Michael tenía una casa vacía que no estaba usando, en la que me podría quedar el tiempo que quisiera.

Cuando llegamos y bajé las maletas, solté una carcajada por la enorme, enorme ironía.

Capítulo 26
Incendio

La situación era cómica si lo pensaba.

Cada día despertaba en el castillo de princesa de Disney que Michael había mandado construir para su amada Roxanne, rodeada de los hermosos animales que vivían conmigo y que, de poder hacerlo, habrían cantado canciones cursis como en una película para niñas. Lo divertido era que yo no encarnaba a la princesa, sino a una amiga más de su príncipe. Era como si , en vez del protagonista, el mono de Aladino se hubiera convertido en el magnate líder del reino; como si el final feliz de la sirenita se le diera a Sebastián el cangrejo y no Ariel, como si Mushu derrotara a los enemigos de China y se quedara con todo el crédito.

Desde esa Navidad, nunca volví a hablar con Mateo. Le pedí a mi abogado que se encargara de todo y le prohibí a mis amigos, conocidos y familia que le dejaran saber dónde estaba. Afortunadamente, como había sido un cretino por años, no tenía idea de la existencia de esta casa.

Recordé el día en que Michael nos había invitado a venir y me sentí agradecida de que Mateo no hubiera contestado el teléfono y se hubiera ido a beber.

Meses más tarde, con mi divorcio en proceso, mi trabajo en su punto más alto, y el apoyo incondicional de mis amigos, que insistían en llevarme electrodomésticos y comida sabrosa para hacerme sentir querida; de mis padres, que venían a pasar semanas a mi casa para que no me sintiera sola, y de mis mascotas, que dormían conmigo todas las noches, la vida parecía un sueño feliz, aunque mi corazón no estuviera cerca de recuperarse.

Quizás más que un lugar mágico de película de Disney, esta casa bien podía ser un lugar de retiro espiritual para mí, pues las heridas que quedan de un divorcio no son fáciles de sanar aun si se han tenido buenas razones para hacerlo.

Michael venía a visitarme de vez en cuando y, poco a poco, ambos aprendimos a reírnos de nuestros respectivos fracasos. Terminar de la forma en la que ambos terminamos era tan trágico que daban ganas de reírse: él había construido esta casa porque era el sueño de una mujer, y yo había ayudado a salir adelante a un hombre que soñaba con ser abogado. Ambos habíamos sido pendejos de primera categoría. Habíamos sido ingenuos, inocentes, confiados, ilusos y, más allá de ser víctimas, ambos concluimos lo mismo:

—Fuimos buenos con los demás, pero ninguno de nosotros supo respetarse a sí mismo; supimos dar amor, pero ninguno entendió que el amor no se da ni se recibe, sino se comparte —dijo Michael una noche, mientras tomábamos una cerveza juntos.

—Pienso que también había algo de egoísmo en lo que hicimos —comenté—. No somos buenos por haber dado todo por alguien. En este caso, fuimos malas personas hacia nosotros mismos por no cuidarnos, por poner a esas personas y sus prioridades por encima de nosotros y de las nuestras. Muchas veces supe que él se estaba aprovechando de mí y no hice nada; muchas veces no me gustaba cómo me trataba y yo no me defendí; dejaba que fuera alguien horrible sin pagar las consecuencias y eso solo le permitía ser cada vez peor. Yo también lo ayudé a convertirse en la horrible persona que fue.

Michael negó con la cabeza.

—No creo que sea tu culpa. Todas las personas, incluso las más cercanas, tienen un mundo y una perspectiva completamente desconocida para nosotros. Sus acciones son condicionadas por ese mundo y no tienen que ver completamente con nosotros, ni mucho menos son nuestra responsabilidad. Pienso que alguien que te responsabilice por sus propios problemas, incluso por sus sentimientos, es manipulador.

—Es la verdad —asentí—. Mateo se quejaba de su vida y le encantaba hacerse la víctima para aprovecharse y obtener cosas de los demás. Desde el principio pude decirle que no era mi problema si su familia era un asco, y que no tenía por qué pagar los platos rotos de su complejo de inferioridad; pero, en vez de eso, intenté ayudarlo, sacarlo adelante. A largo plazo tal ayuda ni siquiera mejoró su autoestima. Se sentía inferior por su nivel de estudios, pero cuando fue el profesional que siempre quiso, seguía siendo igual de acomplejado, solo que ahora lo mostraba de otras maneras, como comprando cosas que no podía pagar o pagando prostitutas con esos horribles abogados de su oficina.

—Tú no puedes mejorar la autoestima de otra persona. Pienso que no puedes mejorar a otra persona en nada. Creer que eso es posible, es la mayor mentira que hay en las relaciones sentimentales. Si crees que debes cambiar a otra persona para ser feliz con ella, tu relación está destinada al fracaso.

Suspiré.

201

—En el amor deberíamos ser mucho más selectivos. Solo deberíamos estar con alguien si esa persona de verdad es buena para nosotros; y no dar nuestro corazón por lástima, culpa, o bondad. Pienso que habría que ser mucho más egoístas en el amor y no regalarlo tan fácilmente. Al fin y al cabo, se trata de nuestro corazón.

Michael rio.

—Muchas mujeres hacen justo lo que tú acabas de decir: entregan su amor porque sienten lástima por otra persona, y tienen muy buen corazón. Y tal vez quieren ayudar, porque valoran el esfuerzo de un hombre para estar con ellas, pero el corazón no debería regalarse a nadie por esos motivos, no es algo honesto.

—Desde tu punto de vista, ¿cuándo debería alguien entregar su corazón? —le pregunté.

—Nunca.

—¿Nunca?

—Nunca. Tú necesitas tener tu corazón, encontrarlo, y enamorarte de otra persona que también tenga un corazón. No puedes llevar una relación fundamentada en los vacíos, ni intentar llenar estos vacíos con otra persona. No es sano. Esto solo te lleva al dolor o a la dependencia, como nos pasó a ti y a mí.

Recordé lo que había pensado la primera vez que salí con Mateo, el hombre de hojalata que buscaba un corazón. Sentí deseos de reír.

—Creo que antes de tener una relación debemos encontrar nuestro propio corazón.

Él asintió con la cabeza y brindamos por eso.

En esos días supe que mi carrera daría un nuevo paso. Fui invitada a ser anfitriona de un programa de televisión de famosos y acepté de mil amores.

Decidí disminuir un poco mi carga de trabajo y contraté a una asistente. Pasaba mis mañanas trabajando duro y mis tardes en casa, mirando Netflix con mis perros y gatos. Aun así, me sentía atormentada por mi pasado. Todavía experimentaba vergüenza de mí misma y constantemente leía las cartas que en otros tiempos Mateo solía escribirme y que guardaba en una caja en la sala. Conservaba algunos de los regalos que me había dado años atrás, cuando aún era un hombre romántico, y me sentía culpable por haber permitido que nuestra relación llegara a ese punto.

A veces sentía ganas de llamarlo, pero sabía que debía ser fuerte. Pensaba que así se tiene que sentir un adicto cuando tiene síndrome de abstinencia y necesita una dosis de eso que le hace tanto, tanto daño y que ha arruinado su vida.

Sin embargo, nunca lo llamé. Me había ido para siempre y no quería volver a verlo nunca más. Había desaparecido de su vida y él de la mía, y esto era lo correcto. Él no tenía derecho a quejarse. Yo no tenía derecho a lamentarme más, aunque aún llorara en las noches, en la privacidad de mi alcoba.

Soñaba con él, con su sonrisa, con nuestras citas, nuestros primeros años, el primer día en nuestra casa, y me despertaba llorando.

Una noche soñé con que estábamos en nuestra boda. Nuestras familias y amigos nos miraban desde la distancia, y la sonrisa fingida de Michael revelaba su tristeza, como una oscura premonición de todo lo que pasaría en años venideros. Mi padre, orgulloso, caminaba a mi lado hacia el altar y yo lo sostenía con angustia, como si supiera que no debía soltar su brazo para que me entregara, y como si quisiera huir de esa agridulce alegría y del amargo olor a incienso que invadía mis fosas nasales…

El sacerdote empezaba la ceremonia y su rostro no semejaba ser humano. Su piel parecía hecha de cera que se derretía poco a poco según la temperatura del lugar aumentaba. Mis manos sudaban, mi maquillaje se corría como si estuviera llorando, de la misma manera que tanto había temido en mi verdadera boda. ¿Por qué hacía tanto calor?

Todo a mi alrededor estaba en llamas: las paredes, las bancas, el altar, la sotana del sacerdote, y el olor a incienso se habían convertido en olor a cenizas y a madera quemada.

Escuchaba ladrar perros y sentía un dolor punzante en una pierna, como si me hubiera cortado con las ramas de los arbustos antes de entrar. ¿Qué estaba pasando?

Veía a todos mis amigos y a mi familia correr, al sacerdote derretirse completamente, y a Mateo allí de pie con una sonrisa macabra.

Intenté huir, pero las manos heladas del novio atraparon mi muñeca con fuerza mientras murmuraba con rencor:

—¡Quémate conmigo, amor! ¡Hasta que la muerte nos separe!

—¡NO! ¡AUXILIO!

—¡MENTIROSA! ¡SI NO TE PUDRES CONMIGO ERES UNA MENTIROSA! ¿VAS A HUIR DE MÍ OTRA VEZ?

—¡DÉJAME! ¡DÉJAME! ¡NO PUEDO! ¡NO QUIERO MORIR CONTIGO!

Y el fuego siguió consumiendo todo hasta rodearnos formando un círculo a nuestro alrededor, listo para devorarnos. Yo tosía cenizas.

Entonces vi la imagen de Dash, mi labrador, chocolate que ya había fallecido hace dos años.

—¡AYÚDAME! —le grité, y él se abalanzó sobre mí y me mordió el brazo con todas sus fuerzas.

Desperté de mi sueño y vi que Valeria, mi labradora, estaba mordiendo con fuerza mi brazo mientras mis otras mascotas, a mi alrededor, hacían lo posible por despertarme. Mi gata estaba enterrando sus uñas en mi pierna, en el mismo lugar de los cortes que aparecían en el sueño.

Me levanté de golpe y miré a mi alrededor: no podía ver más que dentro de un par de metros porque la atmósfera estaba inundada de humo grisáceo. El olor a cenizas y madera quemada era real, y la temperatura estaba tan alta que me encontré bañada en sudor.

Corrí angustiada, seguida por mis mascotas, bajé las escaleras y me encontré con un cortocircuito en el primer piso. La toma en la que estaban conectados la pecera, el estéreo, el televisor, los cargadores del portátil, los celulares y la cafetera de la sala había explotado y llenado las cortinas y la alfombra de fuego que avanzaba centímetro a centímetro, metro a metro, consumiendo el suelo, el techo, la pared, y llevándose en su camino todas mis cosas, desde mis muebles y lámparas hasta…

—¡No…! —gemí al ver que las llamas habían llegado a mi caja de recuerdos, en la que guardaba las cartas, los regalos y todo lo que Mateo alguna vez me había dado. Pensé en devolverme para rescatarla, pero recordé mi sueño, y la imagen de Mateo pidiéndome que muriera con su recuerdo me detuvo.

Tenía que salir, poner a mis mascotas a salvo y llamar a los bomberos.

Alcé a los dos gatos, uno en cada brazo, y salí corriendo hacia la puerta.

—¡AFUERA TODOS! —les grité a mis perros y salimos los cuatro. Saqué mi teléfono celular y llamé a la línea de emergencias, y me senté en el césped, frente a la escalofriante imagen de mi casa brillando en un resplandor naranja, y sosteniendo a mis mascotas mientras esperaba a que vinieran a ayudarme.

En ese momento me di cuenta de que seguramente mi caja de recuerdos estaría reducida a cenizas. Entonces me vi en mi mente soltándome del Mateo de mi sueño, corriendo lejos de allí y salvándome, y supe que estaba bien.

Vi a los bomberos llegar y apagar el incendio con banderas. Abrí las ventanas y subí al segundo piso. Mi cama no había sufrido daño, así que me acosté en ella junto a los perros, y en ese momento me decidí.

Supe lo que tenía que hacer al día siguiente.

Capítulo 27

Quiero decirte algo

Me levanté temprano aquella mañana, completamente decidida a decirle a Michael lo que sentía, lo que había sentido por un largo tiempo. Las paredes ennegrecidas a mi alrededor, los muebles quemados, y los restos de la inexistente alfombra que alguna vez había estado sobre aquel suelo gritaban la palabra muerte, mientras que mis perros, mis gatos, y el sol que se filtraba por mis ventanas gritaban algo muy diferente.

Entrar a la ducha me tomó un largo tiempo. Veía caer las cenizas de mi cabello y manchar las ya manchadas baldosas de color negro.

Mi teléfono no paraba de timbrar. Los mensajes llegaban uno detrás de otro. Seguramente mi madre le había contado a alguien lo que había pasado en mi casa la noche anterior, y así se habían enterado todos mis amigos, compañeros de trabajo, y conocidos; que escribían y llamaban ahora para saber si estábamos bien.

Cuando salí de la ducha me acerqué al teléfono y lo sostuve en mi mano durante varios segundos, para luego soltarlo y dejarlo sobre la cama, sin desbloquearlo. Llamé a mis perros y les mostré sus collares (que estaban entre los pocos objetos de mi casa que no habían sido consumidos por el fuego). Ellos no estaban tan animados como siempre. Tenían las orejas caídas y las colas agachadas. Era su casa la que había sufrido, después de todo.

Sonreí y los abracé. Quería reconfortarlos, pero mientras lo hacía me di cuenta de que yo no estaba triste en absoluto. Todo lo contrario: al abrazarlos noté que nada de lo que se había destruido esa noche importaba tanto como el hecho de poder estar allí en ese momento, abrazándolos, sintiendo sus tibios alientos en mis mejillas, con sus orejitas entre mis dedos y con mis gatos mirándome con curiosidad desde encima del mueble que los bomberos habían logrado salvar. Todos estábamos vivos. Puedes volver a comprar cualquier cosa que rompas, menos tu vida.

Tuve que usar los únicos zapatos que habían quedado convertidos en barbacoa: aquellos viejos tacones rojos que llevaba tanto tiempo sin usar. Aunque no combinaban con mis pantalones de sudadera y mi suéter de oficina, no podía ser exigente.

Salí a caminar junto a mis mascotas y disfruté del sol. Los vecinos me miraban con cierta vergüenza y curiosidad, me decían que lo lamentaban y me ofrecían su ayuda, a lo que yo respondía agradecida; pero en realidad no me sentía tan mal como ellos creían. ¿Quién puede apreciar más la vida que una persona que estuvo tan cerca de la muerte?

Eso me hizo pensar en la muerte. Muchas veces tomamos nuestras vidas como si fueran gratuitas, como si siempre fuéramos a estar aquí: nos quejamos por todo, sufrimos por todo, nos enojamos, frustramos, confundimos, y no somos capaces de ver cuán fugaces son los asuntos que nos preocupan y nos roban el sueño. No valoramos lo que tenemos ni disfrutamos la compañía de las personas a nuestro alrededor; nos molestamos con ellos por tonterías, nos enfocamos en pequeñeces, y cada día olvidamos (quizás voluntariamente) una verdad tan inamovible, cruda y definitiva como la muerte.

Todos vamos a morir. Eso es inevitable.

El mundo en el que vivimos no es perfecto; pero vivir nuestras cortas vidas siendo infelices no tiene sentido, pues ese mismo mundo tan dulce y amargo seguirá estando allí cuando nos hayamos ido. Supe entonces que un día sería cenizas como lo eran mis muebles de diseñador.

Disfruté el olor del césped, el cálido y húmedo aire de San Juan en mis mejillas, y la caricia del sol mañanero sobre mi piel. ¿Por qué no hacerlo? ¿Por qué siempre debía esperar para poder disfrutar las pequeñas cosas en algún momento lejano del futuro en el que ya hubiera arreglado todas las grandes cosas como mi carrera, mi vida amorosa o todos y cada uno de los interminables problemas que el día a día traía consigo? Si algo había comprendido tras todos estos años de historias, giros, golpes, dudas e ilusiones, era que así no funcionaba la vida: nada estaría arreglado jamás, nada sería perfecto, y la vida no tenía un propósito final. El propósito real era el camino a recorrer, y estaba en mí el disfrutarlo y vivirlo con una sonrisa, o lamentarme por cada cosa que no saliera como yo esperaba. Supe que desde ese momento disfrutaría y trataría mi vida como esta merecía ser tratada: como la celebración de un milagro único y un regalo inigualable.

Regresé a casa y le dejé comida a mis mascotas. Entonces partí a mi cita con el destino.

Michael estaba esperándome, recostado en el tronco de uno de los frondosos árboles del parque, fumando y contemplando el cielo con añoranza y con lo que siempre lo había definido: estilo, tranquilidad, confianza.

Sonreí al verlo. Era un hombre admirable, además de guapo. Me sonrojé antes de llegar frente a él y saludarlo. Por un momento me sentí como si el tiempo se hubiera detenido, como si mi vida nunca hubiera transcurrido y aún fuera aquella pequeña niña a la que mamá había llevado a ver El Mago de Oz, y él, Michael, fuera alguien tan sabio, bueno, desprendido, amable, correcto y valioso que me hacía sentir como la pequeña Dorothy, de pie finalmente frente al maravilloso mago que podría hacer cualquier deseo realidad.

—Michael —dije, dedicándole mi mejor sonrisa.

—¿Día difícil? —preguntó él. Sacudí la cabeza.

—¿Cómo te enteraste? —le pregunté.

—Todo el mundo lo sabe —dijo, encogiéndose de hombros—. Lo siento, tus amigos están muy preocupados porque no les contestas al teléfono. Marcela me preguntó si sabía algo de ti.

—Entiendo. Mi culpa. Les escribiré a todos después. Simplemente no me gusta que sientan pena por mí, porque no me siento tan mal.

Se aclaró la garganta.

—¿Cómo puede ser que no te sientas tan mal? ¡Se acaba de incendiar tu casa! ¡Te costará mucho dinero volver a comprar todo lo que se quemó!

—Supongo que sí, pero bueno, hay cosas más importantes que las cosas materiales —le dije, y lo miré a los ojos, intentando encontrar en su mirada la seguridad que estaba buscando para decirle lo que había venido a decirle en esta mañana.

Sus ojos eran vastos y profundos, llenos del cuidado y el afecto de un padre amoroso, pero también de la inocencia y alegría de un niño, la dulzura sanadora de un doctor que había curado animales toda su vida y, en el fondo, la inconmensurable magia de un mago, el mago que él era para mí.

—¿Qué querías decirme? —preguntó él.

Sí. ¿Qué quería decirle? ¿Para qué había venido hasta aquí? ¿Cuál era el mayor deseo que tenía, para pedirle a esa persona que todo lo podía?

Pensé en él. Pensé en nosotros. En otra vida quizás él y yo estuviéramos hechos para vivir juntos. Él era la persona que me había ayudado, la que me había prestado su oído al sentirme sola y devastada, la que me había prestado la casa construida para su matrimonio fallido a fin de que yo pudiera huir del mío y salir adelante después de haber sido reducida a mi punto más bajo, él era la persona que había cuidado de mi corazón cuando este se había roto en pedazos.

Imaginé lo que podría decirle en ese momento.

—Quiero estar contigo. No quiero volver a separarme de ti nunca más. Quiero que ambos dejemos de buscar, de anhelar mientras seguimos perdidos en el tiempo y nos miran los ojos equivocados; quiero que comprendamos lo que hemos tenido frente a nuestras narices durante todo este tiempo y dejemos de obedecer al destino y al azar que nos mantienen y nos mantendrán separados para siempre si así se lo permitimos. No quiero admirarte desde lejos, pero tampoco quiero admirarte desde cerca. Quiero ser todo eso que admiro de ti para que tú también puedas admirarme. Quiero tomar lo que pasó anoche como un reinicio, como el comienzo de una nueva vida en la que estoy dispuesta a vivir sin arrepentimientos, sin lamentaciones, sin culpas, miedos o límites, y quiero vivir esa vida contigo.

Me pregunté qué respondería, si en ese momento me tomaría entre sus brazos y nos fundiríamos en un beso perfecto bajo la sombra del frondoso árbol y desde ese momento empezaría nuestro final, nuestro "felices para siempre".

Pero noté la preocupación en sus ojos. ¿Estaba pensando en mi bienestar emocional o físico? Probablemente así fuera. Él se preocupaba por mí porque era mi amigo, porque me estimaba como ser humano más que como mujer. Yo apreciaba eso de él y lo apreciaba por eso.

—Quería hablar contigo porque tuve mucho miedo —me imaginé que le decía—. No tienes idea de lo que es ver que todas tus cosas se prenden y amenazan con llevarse todo lo que más amas. Tuve que ser fuerte para mi madre, para mi padre, para mis perros y gatos; tuve que tomar las decisiones correctas y actuar con sensatez cuando yo misma deseaba desmoronarme. Ahora me siento exhausta de mi propia fortaleza, agotada de mi propia sensatez... y necesito hablar contigo, necesito que me abraces muy fuerte y no me sueltes nunca.

Entonces, en mi mente, rompí a llorar, y me dejé a mí misma desbaratarme en los brazos de aquel mago, de aquella persona de confianza a la que tanto quería y que tanto me quería... pero el único sonido que logré emitir en lugar de cualquiera de esos dos discursos tan llenos de sentimiento, fue un suspiro.

No rompería a llorar ahora porque, aunque estuviera exhausta y agotada, no quería renunciar a mi propia fortaleza ni a mi sensatez. Eso no era propio de la persona que yo quería ser.

Desvié la mirada mientras me preguntaba qué era lo que quería hablar con él, qué era lo que quería solicitarle si no era simplemente su amor como hombre y su apoyo como amigo. Consideré que podría pedirle ayuda para arreglar la casa, pero eso era una pésima excusa. Él y yo solos no llegaríamos muy lejos. Sería necesario el trabajo de profesionales en construcción. Recordé que él estaba esperando que yo le dijera algo importante.

—¿Sabes? No había pensado que la que se incendió anoche fue tu casa y... me siento muy apenada por eso. Quiero que sepas que voy a arreglar todo y te la voy a dejar como nueva.

Él se encogió de hombros.

—Te lo agradezco mucho, Valentina.

Y nuevamente hubo un silencio, pero no me sentí incómoda, simplemente lo miré con una sonrisa.

—Pero sé que no me llamaste para decirme eso. ¿Qué querías decirme? —preguntó—. ¿Estás bien? ¿Hay algo que necesites?

Dejé escapar una risa. El maravilloso Mago se sentía impaciente, quería saber cuál era mi deseo, quería saber en qué podía ayudarme. No pude evitar traer a mi memoria todo lo que había vivido estos años: mi viaje a Australia, el fracaso del restaurante, las historias de tantas mujeres a las que había ayudado, y la travesía que habían sido mi matrimonio y el rompimiento con Mateo. Tanto dolor, tantos amigos, tantas cosas... tanto dolor que no había sido capaz de derrotarme, tantos amigos que me habían enseñado lecciones maravillosas, y tantas cosas que había logrado superar por mi propia cuenta. ¿No era todo esto prueba de que, cualquier reto que trajera la vida no me iba a quedar grande y saldría victoriosa de lo que fuera mientras no me rindiera ante la adversidad como no me había rendido hasta ahora?

Miré al suelo y me encontré con mis tacones rojos.

En ese momento entendí que no necesitaba nada en realidad, que estaba bien y que solo había una cosa más para decirle. Lo único que quería que mis palabras expresaran era el profundo agradecimiento que sentía hacia él, y que no era necesario que se preocupara por mí en absoluto, pues yo era una mujer fuerte:

—Quería decirte que estoy bien —dije, golpeando el suelo delicadamente con mi zapato tres veces ante su mirada curiosa.

Me di media vuelta para regresar a la casa y noté que, dentro de mi corazón, ya no solo lo admiraba a él.

Ahora había aprendido a admirarme a mí misma.

OTHER TITLES IN THE COLLECTION BY
HAMPSTEAD HEATH BOOKS

Dream Healer: The Oneiromancer Saga I

All he wanted when he turned seventeen was to graduate from high school, hang out with his friends, and date Ruth, his best friend and the girl he had secretly loved for years. He wouldn't have known.

As long as he lives, he won't be able to go to the *Afterlife*; that is why his consciousness will be in the place we all visit during our sleep: Dream Realm, a surreal and ethereal place **where everything we imagine materializes at the speed of our thoughts, but also** a place ruled by mysterious spirits who feed on human fear.

Join **Dream Healer** through the colorful streets of **imaginary cities and alternative realities** in **an ethereal body** that is beyond the laws of physics and has the power to **create anything** that crosses his mind **as long as he doesn't spend all of his bodily energy**; and join **Ruth in her quest** to break the boundaries of reality and understand what there is beyond our world and how to reach it. Welcome Dreamer.

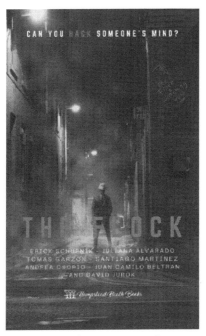

The Flock: a cybernetic horror novel

Michelle has strived all her life to be perfect, both in her professional and personal life, and she actually is, that is until she wakes up one morning just to realize that she forgot everything about the previous day as though it had not happened at all; all she knows about it is that she suffers random panic attacks after seeing... a pigeon?

Why? What is the connection between pigeons and the day she erased from her memory? What is the connection between her memory and the ethereal digital space controlling everything in this world? Why does she remember a red-eyed hacker woman and a middle-aged man in a brown suit? What is the connection between her, the obscure cult known as "The Flock" and the strange figure they call "The Second Messiah"? Are we protected from hackers just because we are organic?

221

Olivia: A Mystery Novel

Desmond Reed, university teacher, is a difficult person, that is true, he stole his best friend's girlfriend and married her just to drop her after she discovered she was infertile and became "kind of annoying," and then got one of his students pregnant in no time, but even someone like him doesn't deserve to get home and find his little daughter murdered in her own cradle.

This is how he ends up hiring his former best friend in order to find who committed such a horrible crime, but things are not always what they seem, and the investigations might end up revealing a soul-shaking secret from their past.

A criminal mystery that will have you at the edge of your seat as you wonder what everyone else is wondering: Who is behind Olivia's death?

Refused: A Steampunk Novel

LeGram, formerly known as London, is a desolated city, ruled by the Post-End-Of-Times Absolutionist Church, a creed with a hopeless claim that every single human should sacrifice their own life in order to decrease the population, poverty, and pollution caused by the greatest economic crisis humanity ever suffered. Refusing is considered a major crime... as long as you aren't wealthy or come from a respected family, of course, like Graham, one of the greatest minds of his era, and the only man who could come up with a solution for the world's problems before something went wrong and he disappeared.

A scientist with the ability to manipulate time; a swift hunter with an exceptional talent for throwing knives; a traveling princess with an obsession for building gadgets with her magic-like science; and the most talented thief in the whole city of LeGram! Join LeClerc, Blader, Anya, and Mith in a steampunk adventure that might tear up the fabric of space and time!

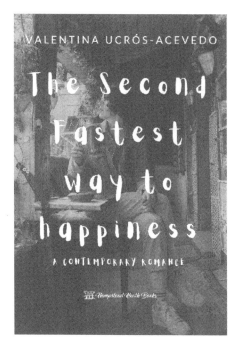

The Second Fastest Way to Happiness
A Contemporary Romance

Filípa and Samuel end up living together in 2020's Covid-19 lockdowns, and they are close to discovering several truths about love:
1) Your past doesn't go away the moment you find happiness. It stays with you.
2) Ignoring the wounds in our soul will threaten to putrefy everything around them.
3) Bringing two people together means bringing their demons together, and staying together means struggling to survive them.
4) Love is stronger than anything, which means it can be stronger than those who live it.
WILL FILIPA AND SAMUEL SURVIVE IT?

225

Cindy Villarraga Otero

nació el 8 de febrero en San Juan, Puerto Rico. Obtuvo su maestría en la Universidad Interamericana de Puerto Rico, donde se destacó por su destreza en negocios y comunicaciones antes de ejercer su reconocida labor como estratega de comunicaciones, publicista y escritora.

Cindy se caracteriza por su singular creatividad, dedicación, e inventiva. Es una empresaria exitosa con una trayectoria impecable, recordada por su trabajo junto a la liga puertorriqueña contra el cáncer con quienes ha llevado a cabo numerosas campañas, y su trabajo de varios años con los carteros de Puerto Rico que ha logrado en más de una ocasión el *Food Drive* más exitoso a nivel de EEUU y Puerto Rico. Fue directora de prensa y comunicaciones tanto para gobierno como para compañías. Dictó talleres de mercadeo, adiestramientos y recursos para distintos municipios y programas en la isla. Participó en locución radial y estuvo a cargo de la producción y presentación de varios segmentos en televisión local. A través de sus años como estratega de comunicaciones, ha trabajado con un sinnúmero de clientes corporativos y personalidades reconocidas a nivel local e internacional.

En 2017, ganó el reconocimiento de *Unión de medios y artistas en Puerto Rico por una sola causa*. En 2019 recibió el *Premio a Mejor Campaña Publicitaria* y, ese mismo año, se dio reconocimiento a la campaña "Food Drive", como resultado de su trabajo junto a la Asociación de Carteros de Puerto Rico. Hoy, Cindy continúa trabajando en los medios de comunicación y publicidad. En 2021, se convirtió en la primera mujer puertorriqueña firmada con el sello editorial internacional *Hampstead Heath Books*, como autora de la novela Yo Soy Valentina.

Made in United States
Orlando, FL
17 September 2022

22487961R00136